Pömpel, Patt und Pillepoppen

Matthias E. Borner

Pömpel, Patt und Pillepoppen

Herausgeber:	Matthias E. Borner ©Verlagsunion Vox Rindvieh, Isselhorst, 4. Auflage (13.-14. Tsd.), 2015 ISBN 978-3-00-022312-9
Layout, Satz, Cartoons, Covergestaltung:	Jo Pelle Küker-Bünermann, Ebbesloh
Lektorat:	Ute Becker, Schildesche
Druck und Bindung:	Hans Kock Buch- und Offsetdruck, Dornberg
Logistik:	Runge Verlagsauslieferung, Steinhagen
Internet:	www.bielefelderisch.de Gestaltung und Programmierung: Digitalkombinat, Bielefeld-Mitte
Kontakt:	matthias.borner@bielefelderisch.de

Liebe Neubürger

Haben Sie manchmal das Gefühl, alle Bielefelder seien stur, wortkarg und Fremden gegenüber furchtbar reserviert? Dann habe ich eine gute und eine schlechte Nachricht für Sie.

Die gute: Es gibt mehrere Strategien, wie sie die Einheimischen aus der Reserve locken und selbst den redescheusten Bielefelder Muffelkopp zu einer Unterhaltung animieren können.

Die schlechte: Keine funktioniert.

Inhalt

Warum Menschen nach Bielefeld ziehen und wie sie trotzdem glücklich werden

Es gibt viele gute Gründe, seinen Wohnsitz nach Bielefeld zu verlegen: Dr. Oetker, Schueco, Seidensticker und einige mehr. Manche Neubürger ziehen sogar freiwillig (!) dorthin, zum Beispiel, weil ihr Lebenspartner in Sieker-Mitte wohnt oder weil ihre Schwiegereltern so nie auf die Idee kämen, sie zu besuchen. Und schließlich gibt es noch Touristen, die die Sehenswürdigkeiten der Stadt bewundern wollen (wobei sich Touristen und Sehenswürdigkeiten mengenmäßig die Waage halten).

Egal, ob Sie aus beruflichen Gründen, familiären Motiven oder auf der vergeblichen Suche nach touristischen Highlights in die Ostwestfalen-Metropole kommen, in jedem Fall möchten Sie sich möglichst schnell einleben. Nun gelten Ostwestfalen vielerorts als mundfaule, kontaktscheue Sonderlinge, die den Mund nur zur Aufnahme von Erbsensuppe, Pumpernickel und Klarem aufmachen. Ob die Rheinländer dieses verleumderische Gerücht in die Welt gesetzt haben, weil sie uns seit jeher den militärischen Erfolg gegen die Römer neiden, oder ob ein Übersetzungsfehler in Tacitus römischen Reiseführer »Germania« zu dieser Unterstellung geführt hat – wie auch immer dieses böse Vorurteil entstanden sein mag, in jedem Fall trifft es in vollem Umfang zu.

Trotzdem werden Sie als Neubürger der Stadt nicht umhinkommen, früher oder später mit Einheimischen zu kommunizieren. Schon lauert die nächste Falle! Die Bielefelder Sprache weist nämlich eine Fülle spezifischer Ausdrücke auf, die vielleicht noch innerhalb Westfalens, doch bestimmt nicht mehr von gebürtigen Bayern, Badensern oder Brandenburgern verstanden werden. Bislang wurden Zugereiste mit solchen Begrifflichkeiten allzu plötzlich im Alltag konfrontiert. Das will dieses Buch ändern. Es möchte alle Interessierten behutsam in die Bielefelder Sprache einführen.

Um Verwechslungen zu vermeiden: Dies ist kein klassisches Mundart-Wörterbuch oder gar ein Sprachführer »Plattdeutsch«; schließlich spricht kaum noch jemand in Bielefeld verkehrssprachlich Platt. Vielmehr geht es um einzelne Begriffe, die auch außerhalb von Heimatvereinssitzungen verwendet und verstanden werden. Es geht um Wörter, die sich im Raum Ostwestfalen am Duden vorbei in die hochdeutsche Alltagssprache »eingemogelt« haben.

Eben weil die Begriffe in keinem offiziellen Wörterbuch nachzuschlagen sind, mag es sein, dass die hier durchzunehmenden Vokabeln nicht überall in Bielefeld gleich ausgesprochen werden. Und das hat nicht zwingend damit zu tun, dass der Bielefelder gerade den Mund mit Vanillepudding oder Tiefkühlpizza voll hat. Sprache variiert immer, nicht nur von Region zu Region, sondern manchmal auch von Dorf zu Dorf oder gar von Stadtteil zu Stadtteil.

So existieren bei einigen Begriffen mehrere Versionen. Der eine schimpft einen langsamen Menschen als »drämelig«, der andere als »drömmelig«, manche verabschieden sich mit »chut chen«, andere mit »chut chon« – die Varianten sind gleichermaßen gebräuchlich, ein »Falsch« oder »Richtig« gibt es nicht. Es kann also durchaus vorkommen, dass die Hiesigen aus Ihrer Nachbarschaft die hier behandelten Begriffe in abgewandelter Form verwenden.

Wenn Sie sich als Neubürger in Bielefeld tatsächlich integrieren wollen, empfehlen sich also folgende Schritte:

1. Studieren Sie dieses Büchlein gründlich und lernen Sie die darin enthaltenen Vokabeln gewissenhaft auswendig.

2. Werden Sie Mitglied in einem Verein. Die Auswahl ist groß*: ob Männergesangsverein Germania Sieker von 1871/78, frauenkunstforum-owl, Kleingartenverein »Jöllenbecker Heide«, Skat-Club »Unter uns« Lämershagen, Reit-, Fahr- und Voltigierverein Hillegossen-Ubbedissen, Holzschuhtanzgruppe Ummeln, Arminia-Fan-Club »Prost Bielefeld«, Kyffhäuser-Kameradschaft Dornberg, Freimaurerloge »Freiherr vom Stein«, Kanarienzucht- und Vogelzuchtverein »Farbenpracht Ubbedissen«, Plattdeutscher Gesprächskreis, Katholische Arbeitnehmer-Bewegung St. Bonifatius, Deutsch-Finnische Gesellschaft Bielefeld, 1. FC Hasenpatt, FKK-Verein für Gymnastik Bielefeld, Square Dance Club »Line Weavers Bielefeld«, Brieftaubenliebhaberverein »Siegesbote Sennestadt«, Handarbeitskreis »Die flotten Maschen«, Wilde-Liga-Team »Dieter Hoeneß Hirnverband« oder Lesbisch-schwuler Sportverein »Warminia Anstoß« – welcher Institution Sie beitreten, spielt keine Rolle. Das Vereinsziel ist ohnehin zweitrangig; wichtig sind vielmehr die Vereinsfeiern und in diesem Zusammenhang, dass Ihnen von Bratwurst mit Steinhäger nicht sofort schlecht wird.

3. Zeigen Sie schließlich auf dem nächsten Vereinsfest, was Sie gelernt haben und sagen Sie – na, was? Die auswendig gelernten Vokabeln? Natürlich nicht!!! Sie haben schon jetzt, im denkbar frühesten Stadium, Punkt 1 nicht befolgt! Würden Sie das Buch tatsächlich gründlich lesen, hätten

---

*) *die folgenden zwanzig Vereine und Institutionen sind nicht ausgedacht – die gibt es wirklich!*

Sie mitgekriegt, dass der Ostwestfale prinzipiell erstmal nichts sagt. Setzen Sie sich also schweigsam in eine Ecke des Schützenzeltes – und schon werden Sie für einen waschechten Bielefelder Muffelkopp gehalten. Gratulation!

Und in Wirklichkeit: In Bielefeld lässt es sich ganz prima leben. Die Menschen hier sind genauso aufgeschlossen und zugeknöpft, gastfreundlich und abweisend, fröhlich und übellaunig, kurz: so grundverschieden wie andernorts auch. Und das Beste: Mit diesem Buch können Sie sich sogar mit ihnen unterhalten!

Viel Spaß beim Vokabelpauken wünscht Ihnen

Matthias E. Borner

proppenvoll

Bedeutung: *randvoll, bis auf den letzten Platz besetzt*

Anwendungsbeispiel: »Wenn Leineweber is, krisse inner Citty keinen Fuß vorn annern. Aufm Alten Maakt isses dann sso richtich proppenvoll!«

»Proppen« ist die Bielefelder Bezeichnung für einen Korken (Propfen). Wer um 1900, als man noch nicht in einer Wegwerf-Gesellschaft lebte, seine mitgebrachte Flasche beim Kaufmann »proppenvoll« machen ließ, wollte sie also »bis zum Korken gefüllt« haben.

Im übertragenen Sinn können auch andere Dinge proppenvoll (oder auch proppevoll) sein: das Wiesenbad bei 30 Grad (mit Badegästen), die Alm beim Spiel gegen Schalke (mit Zuschauern) oder Hans-Wilhelm Holtkämper bei seiner Skatrunde (mit »Steinhäger«).

BUXE
NEU

Buxe, die

Bedeutung: *Hose, Beinkleid*

Anwendungsbeispiel: Neulich in Gadderbaum: »Käar, Gürjen, du ssiehs aber gar nich schnieke aus. Vom Güatel abwäats is alles sso bollerich an dir. Lass uns ma moagen nachn Wearksvearkauf hinfaahn und dir ne neue Buxe kaufen!«

Der junge Ludwig in den »Lausbubengeschichten« von Ludwig Thoma (in mehreren 1960er-Jahre-Filmen von Hansi Kraus gespielt) wusste schon, warum er stets eine Lederhose trug. Abgesehen davon, dass dies in Bayern quasi gesetzlich vorgeschrieben war, dämpfte die Hose die Wucht der regelmäßig bezogenen Prügel, wenn die pädagogisch überforderten Lehrkörper nach seinen Streichen mal wieder mit dem Rohrstock anrückten.

Doch nicht nur in Oberbayern, auch in Ostwestfalen wussten die Schüler ihre »Buxen« schlaghemmend einzusetzen. Damals war das Kleidungsstück noch ein Geschlechtssymbol – Mädchen trugen Kleider und mussten wohl auch deshalb braver sein, weil sie den folgenden Trick nicht anwenden konnten. Pennäler des Ratsgymnasiums hatten eine Methode ausbaldowert, wie allzu strenge Lehrer von der Bestrafung durch den Rohrstock zumindest kurzzeitig abgehalten werden konnten. Die Schüler steckten sich eine mit Blut gefüllte Schweineblase in – genau: die Buxe. Beim ersten Schlag des Lehrers zerplatzte die Blase, und der Lehrkörper schreckte zusammen. Wie wohl auch die Mutter beim Gedanken daran, wie viel Arbeit es macht, das Schweineblut wieder aus der Buxe rauszuwaschen …

Pölter, der

Bedeutung: *Im engeren Sinne ein Schlafanzug oder Nachthemd, im weiteren Sinne alles, was man zu Hause Bequemes anhat, wenn man morgens noch nicht oder abends nicht mehr mit Besuch rechnet.*

Anwendungsbeispiel: »Noabäat, brings du woh ma grade den Müll nach draußen!« – »Das geht nich, ich bin schon in Pölter!«

Man beachte den Bedeutungsunterschied: »Ich bin schon *im* Pölter« verweist auf einen bestimmten Schlafanzug, zum Beispiel auf den blau-weiß gestreiften aus Frottee, den man anno Tuck günstig beim Seidensticker-Werksverkauf ergattert hat. »Ich bin schon *in* Pölter« bedeutet, dass man ganz allgemein kleidungstechnisch den gemütlichen Teil des Abends eingeläutet hat und bereits die sogenannte »ostwestfälische Abendgarderobe« trägt: Wämmsken, Schlafbuxe und Schluffen (zu deutsch: ein wärmendes Hemd, eine Pyjamahose und Hausschuhe).

In seltenen Fällen kann ein Pölter auch ein Ausgeh-Anzug sein …

Mauken, die

Bedeutung: *schuhlose Füße*

Anwendungsbeispiel: »Was riecht das denn hiea so muffelich?« – »Ich hab meine Schluffen ausgezogen.« – »Käar, Willi, bisse wahne?! Der Gestank würd ja noch gehn, aber bei deine Schweißmauken fang' eim ja die Augen an zu brennen!«

Ein wichtiger Hinweis: Bei der Verwendung des Begriffs »Mauken« immer schön auf den Kontext achten! Denn Mauken ersetzen die hochdeutschen »Füße« nicht allgemein, sondern nur, wenn diese olfaktorisch wahrnehmbar sind bzw. – um es noch deutlicher zu sagen – wenn eine plötzliche Geruchsentwicklung in geschlossenen Räumen auftritt (daher auch die im Anwendungsbeispiel zitierten »Schweiß-« oder auch »Käsemauken«).

In einem Wort wie »Fußpflege« kann man also keine Ersetzung vornehmen; »Maukenpflege« gibt es nicht. Es sei denn, jemand läge Wert darauf, sich seine unteren Gliedmaßen regelmäßig mit Käse nach Roquefort-Art einschmieren zu lassen.

Merke: Mauken sind immer nur die Füße des anderen!

schlüren / Schlürschluck, der / auf Schlür sein

1. schlüren

Bedeutung: *reicht vom nachmittäglichen Stadtbummel bis zur nächtlichen Zechtour.*

Das Verb »schlüren« hat im Ostwestfälischen drei Bedeutungen:

1. *vernachlässigen, schleifen lassen:* »Der Willi, der lässt das aber mit seiner Diät nen bissken schlüren – getz hadder sich doch tatsächlich im Bauernhaus-Museum zum Pickert-Wettessen angemeldet!«

2. *schleppen:* »Hömma, wenn du der Keastin zur Konfiamazon unbedingt das Schülalexikon schenken willst – meinswegen. Dann biss du das aber auch, der das nachen Paakhaus hinträcht. Ich hab nämmich keine Lusten, 'ne halbe Bibjothek durche Stadt zu schlüren!«

3. *umherstreifen, bummeln, sich ohne bestimmtes Ziel fortbewegen:* »Den ganzen Tach vora Glotze sitzen – das is' ungesund und langweilich. Komm, lass ma'n Stündken duarche Citty schlüren, dann kriegen wir wenichstens 'n bissken Bewegung beim Langweiln.«

Erst- und letztgenannte Bedeutung findet sich wieder im »Schlürpott« – als solchen bezeichnet man einen eher langsamen Menschen, der sich gerne etwas ausruht, bevor er müde wird.

2. Schlürschluck, der

Bedeutung: *Abschiedstrunk*

Anwendungsbeispiel: Am Stammtisch ist es spät geworden, als der erste gehen will. »Gerade ma' halb drei, und du willst schon wech?! Mehr als wie vier Halbe und fümf Steinhäger haste doch noch gaa nich' getrunken. Komm, wenigstens 'nen Schlürschluck nimmste noch!« – »Nee, ich muss los. Mein Chef hat gesacht, ich soll mehr auf die Dissiplin achten. Als Pilot muss ich pünktlich um halb siem aufstehn!«

Zu den bekanntesten Werken des Liedermachers Reinhard Mey gehört seine Hymne auf die Freundschaft: »Gute Nacht, Freunde, es wird Zeit für mich zu gehen. / Was ich noch zu sagen hätte, dauert eine Zigarette / und ein letztes Glas im Stehen.« Zwei Dinge werden deutlich: 1. Mey schrieb das Lied 1974, als es noch keine Diskussionen um das Rauchen gab. Bei aktuellen Auftritten dürfte er den Refrain eigentlich nur in der politisch korrekten, wenn auch etwas holprigen Fassung singen: »Was ich noch zu sagen hätte, hätte früher die Dauer einer Zigarette in Anspruch genommen.« Im Sinne unserer heutigen Lektion ist aber die zweite Erkenntnis wichtiger: Mey ist kein Ostwestfale. Wäre er Bielefelder statt Berliner, hätte er für sein Lied das wohlklingende Wort Schlürschluck zur Verfügung gehabt.

Der »Schlürschluck« bezeichnet das letzte, oft bereits im Stehen eingenommene Getränk vor der endgültigen Verabschiedung (»ein' füar unterwechs«). Meist serviert der Gastgeber dabei Alkohol – ein Glas Möhrensaft als Abschiedstrunk ist eher eine Ausnahme. Und doch steckt in dem Begriff »Schlürschluck« bereits die Mahnung nach einem verantwortungsvollen Umgang mit alkoholischen

Getränken, ist doch die Einladung zum Schlürschluck am Ende nichts anderes als die strikte Anordnung »Hände weg vom Steuer!« Schließlich heißt schlüren – Sie erinnern sich – umherschlendern. Nach einem Schlürschluck soll man also schlüren und nicht Autofahren – sonst hieße es ja »Fahrschluck«.

Da Mey sein Lied wegen der Raucher-Debatte ohnehin umtexten muss, sollte er am besten gleich über eine ostwestfälische Version nachdenken – auch wenn die Reime auf Schlürschluck begrenzt sind. Zumindest der Titel schriebe sich quasi von selbst: »Gute Nacht, Freunde, ich bin füar heut da duarch«.

3. auf Schlür sein

Bedeutung: *unterwegs sein, umherziehen*

Wir erinnern uns (es ist ja nicht allzu lange her): »schlüren« heißt – unter anderem – umherstreifen, bummeln, sich ohne bestimmtes Ziel fortbewegen. Auf diese Bedeutung bezieht sich die »Schlür«, wenngleich man von jemandem, der »auf Schlür« geht, nicht behaupten kann, er tue dies »ohne bestimmtes Ziel«. Ziel ist nämlich ganz klar, sich einen zu picheln, und die »Schlür« drückt höchstens aus, dass die genaue Route, sprich die Reihenfolge der Gaststätten-Begehungen, noch nicht festgelegt ist.

Wir verdeutlichen die Wortbedeutung durch ein Anwendungsbeispiel. Frau Venghaus findet ihren Nachbarn,

Herrn Hoberg, vollkommen aufgelöst (auf gut Bielefelderisch: »völlich fäatich«) vor dem Hauptbahnhof sitzend. Besorgt fragt sie: »Herr Hoberch, was issen mit Sie? Fühlnse sich kodderich?« Der verzweifelte Ehemann erklärt: »Ach, wenn es das nur wäre! Meine Gisela waa doch auf Kuar in Bad Dribuarch. Und getz um vieare sollt ich se abholn – und sie is nich im Zuch gewesen! Was mach ich denn getz nur!?«

Frau Venghaus versucht zu beruhigen: »Käa, da is doch nix bei. Dann nimmtse halt den nächsten. Oder vielleicht hattse es auch ohne Sie einfach nich mehr ausgehalten – is doch möchlich?! Bestimmt hattse schon den Drei-Uhr-Zuch genomm', sitzt schon längst wieder bei Ihnen zuhaus im Gaaten und erwaatet Sie sehnsüchtichst!« Worauf Herr Hoberg, dem Böses schwant, die Hände über dem Kopf zusammenschlägt und jammert: »Das isses ja ehm! Vielleicht isse ja sogaa schon seit voagestan wieder zuhause – ich war ja die letzten drei Tage auf Schlür …!«

Plürre, die

Bedeutung: *dünnflüssiges Getränk (abwertend)*

Anwendungsbeispiel: »Hömma, was du hiea als Kaffee veakaufst, das iss ja wohl'n Witz – duach deinen Mucke-fuck kann man ja duarchkucken, sonne Plürre is das!«

Plürre (auch Plörre, Plür oder Plempe) ist als direkte Beleidigung für ein Getränk zu verstehen und damit als indirekte für den, der das Getränk serviert – in einer Kneipe sollte das Wort jedenfalls nur mit Vorsicht verwendet werden, da es unweigerlich den Wirt auf den Plan ruft.

Dennoch ist es im Seekrug am Obersee, an der Schönen Aussicht und anderen Ausflugslokalen rund um Bielefeld regelmäßig zu hören, nämlich aus dem Mund besorgter Eltern, die damit ihren Nachwuchs von der Bestellung eines koffeinhaltigen Erfrischungsgetränkes zugunsten eines vitaminhaltigen Obstsaftes abbringen wollen. »Getz trink doch mal was Veanünftiges und nich immer diese Zuckerplürre!« heißt es dann.

Natürlich durchschauen die Kids die billige Pädagogen-Propaganda sofort. Sie fangen an zu nöhlen, bis sie ihre Plürre bekommen, und sind mit dieser Strategie die Arbeitsplatzgaranten sowohl für die vielen direkt in der Plürre-Industrie Beschäftigten (z.B. bei Gehring & Bunte), als auch für die indirekten Nutznießer (z.B. den Zahnärztlichen Notfalldienst).

weg

Bedeutung: *her*

Anwendungsbeispiel: »Haste schon gehöat – der Sohn von Jöstingmeyers heiratet. Ein gewisses Fräulein Lüchow.« – »Na, das ist aber keine Gebüatige. Wo kommt die denn uasprünglich weg?«

Die Verwendung des Partikels »weg« (bzw. genauer: »wech«) anstelle des im Rest der Republik benutzten »her« ist eine der wenigen sprachlichen Eigenarten, die der Ostwestfale bewusst verwendet, ja, die er kultiviert hat und auf die er zurecht stolz ist. Während er in Gesprächen mit Auswärtigen durchaus diskussionsbereit ist, ob ein Wort wie »Bratskartoffeln« eventuell einen Buchstaben zuviel enthält, bleibt er stur, wenn es darum geht, »wegkommen« statt »herkommen« zu sagen.

Diese scheinbare Unbelehrbarkeit entspringt der Überzeugung, die einzig richtige Vokabel zu verwenden. Denn wenn jemand irgendwo herkommt, dann ist er ja nicht mehr dort, wo er ursprünglich war, sondern fehlt an jenem Ort – folglich ist er dort weg.

So weit, so logisch – das kann auch der erst kürzlich zugezogene Neu-Bielefelder nachvollziehen und schnell in seinen Sprachschatz übernehmen. Doch neben einfachen Anwendungen wie »Wo kricht man denn in Sennestadt günstich Pölter wech?« gibt es auch schwierigere Satzkonstruktionen. So kann z.B. »wechkommen« auch eine Kombination aus »herkommen« und »weggehen« sein, z.B. wenn eine Mutter ihren Steppke beim Spielen in einer Mülltonne erwischt und ihn mit einem »Komm da sofort bei wech!« zu sich zitiert. Aber das lernen wir dann im Fortgeschrittenenkurs.

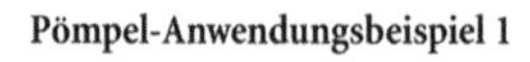

Pömpel-Anwendungsbeispiel 1 **Pömpel-Anwendungsbeispiel 2**

Pömpel, der

Bedeutung 1: *Pfahl, Pfeiler, Pfosten, Pflock* – alles, was Verkehrsteilnehmern phallusförmig im Weg steht.

Anwendungsbeispiel: »Inne Altstadt wiasse ja ramdösich mitm Auto. Niagens kannsse mehr langfahren, überall stehn Pömpel!«

Durch seine vielseitige Verwendbarkeit ist der Pömpel der ungekrönte König unter den mundartlichen Begriffen Ostwestfalens. In den Duden aufgenommen, würde er Dutzende Wörter quer durch das Alphabet überflüssig machen: von Absperrpoller und Baumstumpf über Gummikegel und Holzstecken bis Straßenbegrenzungspfosten und Zierstein. Die Volksgruppen, die ohne diesen wohlklingenden Begriff zurechtkommen müssen – und das sind alle außer uns –, können einem leidtun.

Doch nicht nur Verkehrsplaner, auch Klempner benutzen Pömpel täglich bei ihrer Arbeit. Da natürlich kein Installateur einen Straßenpoller im Werkzeugkasten hat, ahnt der Leser schon: Es gibt noch eine gänzlich andere Bedeutung von Pömpel. Denn mit einem Pömpel kann man nicht nur Straßen, sondern auch sanitäre Einrichtungen von einer Verstopfung befreien.

Bedeutung 2: *Werkzeug zur Abflussreinigung*

Anwendungsbeispiel: »Verdammich, unsser Klo is veastopft! Hol doch ma schnell son... na, wie heisst das nochma?« – »Eine Saugglocke?« – »Nä, womit man sonne Verstopfung wechkricht!« – »Du meinst eine Saugglocke.« – »Nä, getz hab ich's: Hol ma 'nen Pömpel!«

Schlimm ist es, wenn die Toilette verstopft ist. Noch schlimmer ist es, wenn man zwar ein entsprechendes Gerät zur Entstopfung im Haus hat, aber – weil man es ja so selten braucht – nicht weiß, wo genau es sich befindet. Am schlimmsten aber ist es, wenn sich zwar hilfsbereite Mitbewohner zur gemeinsamen Suche anbieten, man ihnen aber nicht erklären kann, was man eigentlich sucht. Heraus kommen dann verzweifelte Umschreibungsversuche wie etwa »das Dingens mit dem Stiel und dem roten Gummiteil«.

Der Bielefelder kennt dieses Problem zum Glück nicht, beinhaltet doch sein Sprachschatz das vielseitig einsetzbare Wunderwort »Pömpel«. Zwar lautet der Fachbegriff für das auch als Klempnerlunge bekannte Entstopfungsgerät »Saugglocke«. Aber stellen wir uns den unappetitlichen Notfall vor: Welcher Hobby-Installateur ruft da im Kampf mit der Materie »Schnell, bringt mir eine Saugglocke!«?

Niemand. Denn jeder weiß: Wer nach einer Saugglocke ruft, kriegt mindestens zwölf Nachfragen und bestenfalls einen Schnuller gebracht. Wer aber schnell einen Abfluss reinigen muss, verlangt nach einem Pömpel. Wie bloß die Menschen außerhalb von Ostwestfalen ihre Toiletten entstopfen?

prokeln

Bedeutung: *herumstochern, irgendetwas mit irgendetwas anderem bearbeiten* – prokeln halt

Anwendungsbeispiel: »Käar verdammich, ich mach doch keine Rosinen im Kuchen. Getz daaf ich die da alle rausprokeln!«

Tja, wie soll man den Begriff »prokeln« erklären? Vielleicht, in dem man aufzählt, mit welchen Dingen sich prokeln lässt: zum Beispiel mit einem Zahnstocher in den Backenzähnen, mit einem Schürhaken in der Glut eines Kaminfeuers, mit einer Gabel nach verkohlten Brotkrümeln auf dem Boden des Toasters, mit dem Fingernagel in Wundschorf, mit einem Stück Bierdeckel in flüssigem Kerzenwachs (der »Prokel-Klassiker« an Kneipentischen).

Am besten prokeln kann man aber noch immer mit einem Pinöckel. Ohne zu wissen, was ein Pinöckel ist, können Sie gar nicht nachvollziehen, was »prokeln« bedeutet. Deshalb ist es eine zwingende Notwendigkeit, dass wir diesen Begriff in der nächsten Lektion behandeln.

Pinöckel, der

Bedeutung: *kleiner Gegenstand*

Anwendungsbeispiel: »Gestean kam im Feansehn eine Repoataasche über Autodiebe. Du, wenn da deine Scheibe nur sonn Itzken aufsteht, ziehen die da mit sonnem Pinöckel den Pinöckel von der Tüa hoch – und wech is der Wagen!«

In der letzten Lektion haben wir Ihnen versucht zu erklären, was das Wort »prokeln« bedeutet. Das war deshalb so schwierig, weil man gemeinhin mit einem »Pinöckel« prokelt und wir diese Vokabel noch nicht durchgenommen haben. In dieser Lektion erklären wir Ihnen also, was man einen Pinöckel nennt. So wird Ihnen hoffentlich klar, was mit »prokeln« gemeint ist.

Tja, nur wie soll man den Begriff »Pinöckel« erklären? Vielleicht so: Pinöckel (oft auch Pinörkel) sind von geringer Größe, oft eher länglich und spitz, mitunter hakenförmig. Zugegeben, dass alles klingt etwas unpräzise. So schwammig man auch ihr Aussehen umschreiben muss, so exakt, anschaulich und eindeutig lassen sich die meisten Pinöckel aber durch ihre Einsatzmöglichkeit definieren: Man erkennt sie daran, dass man mit ihnen prima prokeln kann. Womit dann ja wohl alle Fragen beantwortet sein dürften.

Pinöckel, Teil 2 *(für Fortgeschrittene):*

Wenn der »Pömpel« der König unter den Bielefelder Vokabeln ist, dann ist der »Pinöckel« der Kronprinz. Denn ähnlich wie der Pömpel ersetzt auch der Pinöckel eine Vielzahl von Begriffen aus dem Hochdeutschen. Wenn wir in der vergangenen Lektion einen Pinöckel zunächst als ein »Werkzeug zum Prokeln« vorstellten, so war diese Umschreibung auf keinen Fall falsch. Allerdings ist die Bedeutung des Pinöckels wesentlich weiter gefasst und beinhaltet auch solche Objekte, die zum Prokeln gänzlich ungeeignet sind.

Es gibt nämlich eine ganze Reihe von Gegenständen, mit denen man gemeinhin *nicht* prokelt und die dennoch als Pinöckel bezeichnet werden. Als Beispiele seien hier genannt: Mensch-ärgere-Dich-nicht-Spielfiguren, Pinnnadeln für Pinnwände, IKEA-Regalboden-Stützen, Autotür-Verriegelungsknöpfe oder das übrig gebliebene Teil, das man nach der Reparatur des Fernsehgerätes in der Hand hält, obwohl man den Apparat doch eigentlich schon wieder komplett zusammengebaut hat.

Wollen wir den Begriff präziser beschreiben, lautet unsere Definition also: »Ein Pinöckel kann jeder Gegenstand sein, der klein ist und für den man spontan keine Bezeichnung parat hat.« Und wenn man dann noch damit prokeln kann, ist es auf jeden Fall einer.

plääddern

Bedeutung: *stark regnen*

Anwendungsbeispiel: »Käar, das Wetter macht mich noch wahne. Heut Moargn hat's earst nuar leicht gefisselt, mittachs wars dann schon am dröppeln, und getz plästert das wie nix Gutes. Wenn das so weiter plääddert, dann machen wir heut nammitach in den Heeper Fichten kein' Spaziergang, sondern 'ne Regatta.«

Begriffe für schauerartige Niederschläge kennt der Ostwestfale so viele, wie es Regentage gibt. Und um wie viel schöner sind Wörter wie pladdern, plääddern, plästern oder plaistern als das langweilige »regnen« – hört man doch quasi bei der Aussprache der lautmalerischen Begriffe, wie die dicken Regentropfen auf den Asphalt klatschen: »Pladder!«

Sprachlich verwandt ist »pladdern« mit dem »Fladen« – schließlich wird man, wenn es richtig derbe pladdert, so plääddernass und von Wasser durchweicht wie ein Kuhfladen.

Allerdings heißt speziell »pladdern« im Plattdeutschen auch »plaudern«. Die beiden Begriffe liegen in ihrer Bedeutung gar nicht so weit auseinander, wie es zunächst scheint. Ein Wort- und Redeschwall, zumal bei feuchter Aussprache, kann schließlich ähnlich unangenehm sein wie ein plötzlicher Regenguss. Doch keine Angst, die Bielefelder sind ja bekanntermaßen äußerst mundfaul. Häufiger kann man es in der Sahara plääddern hören als in Sudbrack jemanden pladdern …

Ab in die Falle: die letzten Sekunden vor dem Eheversprechen …

Falle, die

Bedeutung: *Bett*

Anwendungsbeispiel: »Mami, düafen wir noch Feanseh kuckn?« – »Ich glaubs euch wohl! Nix da, ihr geht ab inne Falle! Aber man tenger – sonst gibt's Pöterklatsche mit Anlauf!«

»Wer an *einem* Morgen spät aufsteht, hat den halben Tag vergeudet. Wer an *zwei* Morgen spät aufsteht, hat einen ganzen Tag seines Lebens vergeudet. Wer an *drei* Morgen spät aufsteht, der beleidigt das Leben«, so lautet eine alte chinesische Weisheit.

Da wusste Konfuzius offenbar mehr als die Bielefelder, denn wer nicht gerade ein Schnäppchen auf dem Klosterplatz-Trödelmarkt erheischen will, bleibt hierzulande ja schon mal gerne etwas länger »in der Falle«. Den Frühaufstehern hält man die gesundheitsfördernde Wirkung eines ausgedehnten Schlafes entgegen: »Waamer Pölter, mollich Bett – wer lang schläft macht den Aazt nich fett«. So steht es zumindest in Urgroßmutters Arzneibuch, die damit lange vor der Gesundheitsreform ein probates Mittel gefunden hatte, den Weg in eine Arztpraxis zu vermeiden: einfach gar nicht erst aufstehen!

Warum das Bett in Ostwestfalen »Falle« genannt wird, scheint naheliegend. Schon mancher Mann hat in der Hitze der Nacht – d.h. im »mollich Bett« – Eheversprechen geleistet, die er so im Bastelkeller niemals abgegeben hätte. Es kann aber auch sein, dass der Begriff aus alten Bauernhäusern stammt, wie sie im Bielefelder Bauernhausmuseum zu bewundern sind. Viele dieser Gebäude hatten kein separates Schlafzimmer. Man schlief in der »Butze«, einem zum Teil fest in das Haus eingebauten Schrankbett zwischen Wohnbereich und Küche, das man durch eine Tür betrat. Mit der Holzummantelung wurde der Wunsch nach Privatsphäre erfüllt. Dennoch mag der Aufenthalt in einem solchen Bett durchaus auch beklemmend gewesen sein – als säße man in einer Falle. Nicht grundlos bohrte man ein kleines Loch in die Bettwand: Durch dieses sogenannte Seelenloch sollte im Todesfall die Seele entweichen können.

Dass Leute weniger lebendig aufwachen als sie eingeschlafen sind, kommt schließlich häufiger vor. Mehr noch: Rein statistisch gesehen ist es zwischen Bettdecke und Matratze lebensgefährlich! Denn wissenschaftlich ist erwiesen: Nirgendwo sterben so viele Leute wie im Bett …

inne Bauern

Bedeutung: *irgendwo zwischen Niederdornberg-Deppendorf, Hoberge-Uerentrup und Schröttinghausen, d.h. auf dem Lande*

Anwendungsbeispiel: »Klaa is das Grundstück billich. Aber da wohnsse dann ja auch inne Bauern. Wennde da mal zu nem Supamaakt willst, musse ja ne Übanachtung mit einplaan!«

Wofür der Berliner die Abkürzung »JWD – janz weit draußen« kennt, das beschreibt in Bielefeld der Begriff »inne Bauer(n)«: ein Ort fernab von jeglicher städtischen Zivilisation. Die Bürger des Oberzentrums bezeichnen damit im ursprünglichen Sinne die Bauer(n)schaften. Vilsendorf zum Beispiel liegt inne Bauern, während Bielefeld die Teuto-Metropole ist.

Dabei wird gerne vergessen, dass die Großstadt Bielefeld ihre Größe mindestens zur Hälfte den Bauernschaften verdankt. Erst durch die Eingemeindungen bei der Gebietsreform 1973 verdoppelte sich die Einwohnerzahl Bielefelds auf 320 000. Und die Sache mit der städtischen Zivilisation ist wie alle Bewertungen eine Frage des eigenen Standortes. Genau so, wie sich Ostwestfalen aus der Sicht eines Nord-Norwegers bereits in unmittelbarer Äquatornähe befindet, liegt für Berliner, Hamburger und Münchener Bielefeld selbst inne Bauern.

Aber das ist ja das Praktische: Eigentlich wohnt überhaupt niemand inne Bauern. Denn selbst wer es nach Meinung eines anderen tut, findet immer noch ein Kuhkaff, das kleiner ist als seins.

Drämelpott, der

Bedeutung: *(liebevolle) Beleidigung für jemanden, der trödelt, klüngelt, sich leicht ablenken lässt*

Anwendungsbeispiel: »Wenn mein Männe mal den Müll rausbring' soll, dann dauert das garantiat 'ne halbe Stunde. Das ist aber auch son richtigen Drämelpott.«

So wie die Eskimos – angeblich – Dutzende verschiedene Bezeichnungen für »Schnee« haben, kennt das Ostwestfälische eine Fülle von Ausdrücken für die Begrifflichkeit »es ruhig angehen lassen«. Eine Arbeit ratz-fatz durchzuziehen ist die Sache des Ostwestfalen nicht, er erledigt sie lieber – nein, nicht etwa langsam, sondern sagen wir lieber: etappenweise. Oder auch bedächtig, gemächlich, behutsam, gelassen. Vielleicht hat das dazu geführt, dass in weiter nördlich gelegenen Gebieten »drömeln« mit »dösen« = »halb schlafen« gleichgesetzt wird.

Doch Vorsicht – speziell im Ruhrgebiet könnte es zu sprachlichen Missverständnissen kommen. Einige Menschen dort sehen in der »Drämelei« bzw. »Drömmeligkeit« der Ostwestfalen nämlich keinen Charakterzug, sondern unterstellen Böswilligkeit: »Drömmeln« bedeutet zwischen Dortmund und Duisburg, eine Handlung absichtlich zu verzögern, ein »Drömmler« ist dort jemand, der sich mit der Erledigung einer Aufgabe mehr Zeit als nötig lässt. Der Dornberger, Deppendorfer und Dalpker hingegen drämelt, drömelt und drömmelt unabsichtlich herum. Er kann nichts dafür; er ist halt von Natur aus – ein Drämelpott.

Quasselpott, der

Bedeutung: *jemand, der im besten Fall viel, im schlimmsten Fall fortwährend redet*

Anwendungsbeispiel: In der Hammer Mühle während der Bundesliga-Übertragung: »Käar, wassen nervigen Reporter! Selbs inner Schweigeminute voam Anfiff hat der ein' zugeschwallt. Gegen den Quasselkopp war ja Gisela Schlüter ein Stummfilmstar.«

Die Berliner Schauspielerin und Moderatorin Gisela Schlüter (1919 – 1995), auch bekannt als »Lady Schnatterly«, galt als die Quasselstrippe der Nation. In Bielefeld gibt es eine mit der Quasselstrippe verwandte Spezies: den »Quasselpott«. Mit diesem Begriff tituliert man eine an Wortdurchfall leidende Person – wobei weniger die Person selbst darunter leidet, als vielmehr ihr soziales Umfeld. Der Quasselpott kommt nicht vom Hundertsten ins Tausendste, sondern vom Tausendsten ins Millionste.

Als zusätzliches Anwendungsbeispiel möchten wir eine Anekdote aus der an Dönekes ja nicht armen Kulturgeschichte Bielefelds bringen. Obwohl das Wort »Quasselpott« in unserer Geschichte selbst gar nicht vorkommt, veranschaulicht sie dennoch die Bedeutung der Vokabel besonders gut – in memoriam Gisela Schlüter.

Da schleppt also, es mag schon einige Jahrzehnte her sein, Frau Sötekötter ihren Mann mit zum kirchlichen Beratungsgespräch, weil es in ihrer Ehe kriselt und sie hofft, dass der Pastor ihrem über die Ehejahre stur und lieblos gewordenen

Gatten ins Gewissen reden kann. Bitterlich beklagt sie sich über ihren Mann: »Der tranklötige Keal hat vadorrich das ganze letzte Jahr nich ein Woat mit mir geredet!« Der Pastor zeigt sich bestürzt. »Wie kann denn so etwas sein?«, fragt er den Ehemann vorwurfsvoll, »warum bloß haben Sie mit Ihrer Frau ein Jahr lang nicht gesprochen?« »Naja«, antwortet Bauer Sötekötter daraufhin trocken, »ich wollt se halt nich unterbrechen.«

Nach dem Zungenbrecher: Zwangspause für den Quasselpott ...

Knötterpott, der

Bedeutung: *ständig missgelaunte Person*

Anwendungsbeispiel: »Der aule Wullenkämper is immer nölich und zieht ne Fleppe, als müsst' er gleich zu 'ner Wurzelbehandlung. Der is son richtigen Knötterpott.«

Niemand kann sich davon freisprechen, bisweilen schlecht gelaunt zu sein. Wir alle kennen das Gefühl an einem regnerischen Montagmorgen: Der Wecker hat zu spät geschellt, das Frühstück muss ausfallen, dafür hat der Dackel Durchfall und das Auto springt nicht an – an einem solchen Morgen muss man jedem Menschen das Recht zugestehen, kurzzeitig knötterig zu sein.

Wer aber ausgeschlafen und satt an einem sonnigen Wochenende im Besitz eines Neuwagens und eines gesunden Hundes immer noch unzufrieden und sauertöpfisch daherkommt, der gilt als Knötterpott. Mitmenschen unterstellen dem so Titulierten die wenig schmeichelhaften Charakter-Kombinationen böse-brummig-bärbeißig, mürrisch-muffelig-missmutig und grantig-grimmig-griesgrämig.

Merke: Chronische Knötterigkeit wirkt gesellschaftlich isolierend!

Meckerpott, der

Bedeutung: *an allem und jedem herummäkelnder, ständig nörgelnder Mensch*

Anwendungsbeispiel: »Was hat denn Herr Gretenkord dazu gesacht, dass der Pfarrer seinen ertrinkenden Ssohn aus dem Obernsee gerettet hat?« – »Er hat sich deabe bei ihm beschweat, weil die Mütze von dem Kleinen fehlte, der aule Meckerpott.«

Seit der letzten Lektion wissen Sie ja, was ein Knötterpott ist. Sollten Sie selbst irgendwann – sicher völlig unbegründet – als »Knötterpott« beschimpft werden, so raten wir Ihnen, diese Verbalattacke mit Gleichmut und Gelassenheit hinzunehmen und zu schweigen.

Die Alternativen dazu sind weniger zu empfehlen: Natürlich könnten Sie sich wortreich verteidigen und Ihre zahlreichen charakterlichen Vorzüge aufzählen, doch schnell gelten Sie dann als »Quasselpott«, und ein solcher ist den mundfaulen Ostwestfalen seit jeher suspekt. Wenn Sie aber stattdessen zum Gegenangriff blasen und Ihren Gegenüber mit Vorwürfen torpedieren, so brächte Ihnen das doch nichts weiter ein als den zusätzlichen Ruf eines – genau: »Meckerpotts«.

Sagen Sie also nichts. Schlimmstenfalls halten Ihre Mitbürger Sie dann für lethargisch, träge oder leidenschaftslos und nennen Sie fortan einen »Drämelpott«. Aber das ist ja eher liebevoll gemeint und der weitaus sympathischste unter den vier Pott-Präfixen Drämel-, Quassel-, Knötter- und Mecker-.

Pättkenschnüwer, der

Bedeutung: *Klappriges Motorrad oder Moped*

Anwendungsbeispiel: »Seit Gretenkords Hannes den aulen Pättkenschnüwer von sein Oppa geerbt hat, is man selbst auffem Büargasteich seines Lehms nich mehr sicher!«

Ab Anfang der 1930er Jahre wurden bei Miele Fahrräder, Motorfahrräder und Motorräder produziert – nach dem Motto »Du kommst schnell und leicht zum Ziele, fährst Du ein Zweirad Marke Miele«. Erst 1960, nachdem fast eine halbe Million Motorräder ausgeliefert worden waren, stellte Miele die Zweirad-Herstellung in Bielefeld zugunsten der Geschirrspüler-Fabrikation ein.

Noch Mitte der 1950er Jahre träumten also nicht nur die Hausfrauen, sondern auch die Halbstarken von einer »Miele« – speziell vom Modell 730, 98 ccm, Sachs-Motor mit Kickstarter, einem sehr beliebten und weit verbreiteten Motorrad, quasi der »VW Käfer« unter den Krafträdern.

Die »Miele 98« war durchaus geländegängig – was sie auch sein musste, denn nicht alles, was damals auf der Straßenkarte des Kreises Bielefeld als Straße eingezeichnet war, wies ein Kopfsteinpflaster auf, geschweige denn eine Asphaltdecke. Manche »Straße« entpuppte sich als einfacher »Patt« – ein schmaler Weg – oder gar als »Pättken« – ein schmaler Patt. Was die Jugend natürlich nicht am Weiterfahren hinderte, im Gegenteil, »offroad« macht es schließlich doppelt soviel Spaß.

Fußgänger waren dabei trotzdem nur bedingt gefährdet. Zum einen war das Zweirad laut Miele-Werksprospekt mit einem »elektronischen Signalhorn« ausgestattet, zum anderen erzeugte die Maschine speziell im Gelände ein undefinierbares Fahrgeräusch, das nun wirklich nicht zu überhören war. »Pättkenschnüwer« nannte man sie deshalb – »Feldwegschnaufer«.

Übrigens: »Pättken« kommt vom plattdeutschen »Pattke«, was »Fuß« bedeutet und darauf hinweist, dass man die Pättkes ursprünglich mit den eigenen Pattken plattgepattkert hat. Aber auch nur, weil es damals noch keine »98er Miele« gab …

Düppe und Henkelmann

Bedeutung: *Essensbehältnis aus Metall mit einem Henkel zum Tragen*

Anwendungsbeispiel: »Ich krich'n Dalschlach! Da hat mir doch vadorrich gemand mein Mettendken aussem Henkelmann gemopst!« – »Woher weisse denn, dass dir deine Gerda 'n Mettendken in die Düppe getan hatte?« – »Na, ich seh doch noch den Abdruck inner Earbsensuppe!«

Der Begriff »Düppe« für einen tragbaren Essensbehälter wird heute kaum noch benutzt – was daran liegen mag, dass tragbare Essensbehälter selbst etwas aus der Mode gekommen sind. Sehr wohl aber ist noch der »Henkelmann« geläufig, auch wenn das keine typisch ostwestfälische Vokabel ist. Besagter Ausdruck für den Tragetopf findet republikweit Verwendung, zumal dieser als Feldkochgeschirr auch bei der Bundeswehr zum Einsatz kommt.

Ursprünglich wurde der Henkelmann von Bergleuten entwickelt (von denen es ja in Bielefeld nicht gerade übermäßig viele gibt), um zu Hause gekochtes Mittagessen mit auf die Schicht nehmen zu können. Schon bald waren die Blechkannen in allen industriellen Betrieben zu finden, wo die Arbeiter in den Kantinen ihr mitgebrachtes Essen in einem Wasserbad erhitzen konnten.

Trotzdem ist nicht allen Bürger bekannt, was ein Henkelmann ist – wie auch nicht dem Richter am Bielefelder Landgericht, der sich einst bei der Vernehmung eines Zeugen die intellektuelle Blöße gab. In der Ravensberger Spinnerei hatte es einen Arbeitsunfall gegeben. Zur Klärung der Umstände sollte der Maschinist Pohlkötter die Ereignisse aus seiner Sicht schildern. »Also, ich war just mit dem Henkelmann auffem Weech in die Küche«, setzte Pohlkötter an, als ihn der Richter auch schon unterbrach. Er blätterte verwirrt durch seine Unterlagen, um dann den Staatsanwalt mit vorwurfsvollem Blick zu fragen: »Warum ist der Zeuge Henkelmann nicht geladen?«

Blag, das

Bedeutung: *nervender Nachwuchs*

Anwendungsbeispiel: »Mögen Sie Kinder auch so gerne wie ich? Kinder machen einem ja sooviel Freude!« – »Aber nua, bis sie wach weaden. Danach hat man wieder nua Brass mitte Blagen.«

Kinder sind ein Trost im Alter und ein Mittel, es schneller zu erreichen – zumindest in ihrer Eigenschaft als »Blagen« (Aussprache im Singular: »Blaach«). Ob Eltern ihren Nachwuchs als Kinder oder als Blagen bezeichnen, ist situationsabhängig; oft ändert sich die Wahl des Ausdrucks wie die Laune der Erwachsenen binnen weniger Augenblicke.

Ein Beispiel: Die lieben Kleinen, die so putzig ihre Papierschiffchen in einer Regenpfütze schwimmen lassen, sind Kinder. Dieselben Dreikäsehochs, die anschließend mit ihren zugemotschten Gummistiefeln über den Perserteppich tapern, sind Blagen.

Für Auswärtige ist die korrekte Verwendung des Wortes also gar nicht so einfach, denn zunächst muss man dazu die oft befindlichkeitsabhängige Toleranzschwelle Bielefelder Eltern erkennen und beurteilen können. Wenn Sie als zugezogener Neubürger damit noch Schwierigkeiten haben, trösten Sie sich: Auch die einheimischen Kinder tun sich meist schwer damit.

Vielleicht hilft folgender Sinnspruch, um die beiden Begriffe voneinander abzugrenzen: »Ein Kind ist ein Engel, dessen

Flügel im gleichen Maße schrumpfen, wie die Füße wachsen.« Sind die Füße groß genug, um auf Pingeljagd zu gehen, ist aus dem Engel ein Bengel bzw. ein Blag geworden. Bevor Sie aber als Opfer des nächsten Klingelstreiches zu solchen oder härteren Ausdrücken greifen, bedenken Sie zunächst, dass wir alle mal klein angefangen haben ...

nickelich und kiebich

Bedeutung: *verärgert sein und infolgedessen hinterhältig und gemein (nickelig) oder kratbürstig und ausfallend (kiebig) werden*

Zugezogene Neubürger verwechseln mitunter die Begriffe »nöckelig« und »nickelig«. Dabei besteht zwischen beiden ein denkbar großer Unterschied. Denn wer nöckelig ist, grummelt vielleicht ein bisschen vor sich hin und spielt die beleidigte Leberwurst, macht aber grundsätzlich seine schlechte Laune mit sich selbst aus. Wer aber nickelig ist, lässt andere unter seiner Griesgrämigkeit leiden, verunglimpft, stichelt und intrigiert. »Du siehst so süß aus, wenn Du nöckelig bist!«, könnte man in einem Fall akuter Brummigkeit seinem Partner/seiner Partnerin zur Aufheiterung sagen. »Du siehst so süß aus, wenn Du nickelig bist!« lässt sich außerhalb der Sado-Maso-Szene nicht als Anwendungsbeispiel zitieren.

Nickelig kommt vom Scheltwort »Nickel«, einer spöttischen Kurzform von Nikolaus. So wie alle Wellensittiche Hansi und alle Schäferhunde Hasso heißen, hörten in der Vorstellung der Bergleute alle Kobolde und Stollentrolle auf den Namen Nickel.

Diese bösartigen Kreaturen sorgten dafür, dass aus einem bestimmten Mineral trotz seiner kupferroten Farbe kein Kupfer zu gewinnen ist – nämlich aus dem deshalb so genannten »Kupfernickel«. Wer »nickelig« ist, tut es den gemeinen Berggeistern gleich und macht seinen Mitmenschen aus reiner Garstigkeit das Leben schwer.

Auch jemandem, der »kiebig« ist oder zu werden droht, sollte man aus dem Weg gehen. »Kiebig« kommt nämlich von »keifen«, wie in der folgenden Anekdote aus Alt-Bielefeld nachzuvollziehen ist:

Die junge Elise Töpper leidet an chronischer Bronchitis. Im Herbst 1905 erkrankt sie so stark, dass sie ihre Tätigkeit als Haushaltshilfe in der Villa Bozi für mehrere Wochen unterbrechen muss. Frau Bozi bleibt nichts anderes übrig, als eine Stellenanzeige in der Westfälischen Zeitung aufzugeben.

Wer am nächsten Morgen als erstes vor ihrer Tür steht, ist allerdings keine Bewerberin um die vakante Stelle, sondern Elises Mutter, Emma Töpper. Völlig aufgebracht und außer sich vor Wut staucht sie ungeachtet jeder Standesgrenze die überraschte Unternehmersgattin zusammen: »Was erlaum se sich, sonne diffamierende Anongsse ins Blatt zu setzen?! ›Umständehalber neues Dienstmädchen gesucht‹ – wassen nickligen Zuch. Sowas hört sich einfach nich, das is kein Benimm. Die chanze Karjäre meiner Lütten is ja mit ihrer Lügenanzeige inne Dutten! Die kommt ja in kein anständiges Haus mehr rein! Und heiraten will se nu auch keiner mehr! Und chlatt cheloren isses: ›umständehalber‹ – pah! Meine Lisbeth hats man bloß 'n bisken im Hals, von ›umständehalber‹ kann cha nich die Rede sein. Die Anzeige nehm' se sobutz wieder retuhr, sons wird ich richtich kiebich, da könnse aber drauf an!«

Töle, die

Bedeutung: *(Mischlings-)Hund, Straßenköter*

Anwendungsbeispiel: »Ihr Hund sieht aber nicht gerade reinrassig aus. Hat der überhaupt einen Stammbaum?« – »Nä, die olle Töle pinkelt übaall hin.«

»Je mehr ich von den Menschen sehe, desto lieber habe ich meinen Hund«, bemerkte schon Friedrich der Große, der dabei allerdings keine dahergelaufene Töle, sondern seinen reinrassigen Jagdhund im Sinn gehabt haben dürfte. Wobei gerade Tölen, die Cocktails unter den Hunden, zu den liebenswertesten Haustieren überhaupt zählen. Und was heißt schon »reinrassig«? In gewisser Weise sind Tölen ganz besonders reinrassig, schließlich vereinen sie gleich mehrere reine Rassen in sich. Immer mehr Hundebesitzer halten lieber einen gentechnisch gut durchgewürfelten Mischlingsmischling als einen überzüchteten Rassehund.

So teilen viele Hundefans die Ansicht des Preußenkönigs über Tiere und Menschen, selbst wenn ihr »Moppelpinscher« keinen Stammbaum aufweist, der bis Cerberus zurückreicht. Erinnert werden darf in diesem Zusammenhang an die überlieferte Tierliebe des Bielefelder Kaufmanns Gisbert Holtkämper zu seinem »Frido«, einem ganz gewöhnlichen Pudelmischling. Der Vierbeiner lief an einem Februartag auf das dünne Eis der zugefrorenen, damals noch nicht verrohrten Lutter, brach ein und schaffte es aus eigener Kraft nicht, sich aus der lebensbedrohlichen Lage zu befreien. Holtkämper fasste sich ein Herz, zerbrach mit einem Stock die Eisdecke und watete knietief durchs Wasser, um seinen Hund zu retten.

Ein Spaziergänger, der die bemerkenswerte Aktion beobachtet hatte, wunderte sich über diesen selbstlosen Einsatz: »Füa sonne lausige Töle ins Wasser spring', das hätten aba die meisten Leute, die ich so kenn, nich chemacht.« Worauf Holtkämper, obwohl völlig durchnässt, recht trocken bemerkte: »Für die meisten Leute, die ich so kenne, hätte ich das auch nicht gemacht.«

Eine Töle mit Stammbaum ...

tengern

Bedeutung: *schnell*

Anwendungsbeispiel: Engagierter Arminia-Fan auf der Alm: »Ich wead noch wahne. Kerr, wenn ich schon sehe, wie drämelich die alle üban Platz schluffkern. – Getz macht doch mal 'n bissken tengern! Ich steh ja schneller als ihr lauft!«

… getz' aber tengern!

»Wenn ich wüsste, dass morgen die Welt unterginge, zöge ich ins ländliche Westfalen. Da passiert alles 100 Jahre später«, soll Bismarck einmal geäußert haben. (Oder war es in Wirklichkeit Mecklenburg, auf das sich Bismarcks Ausspruch bezog? Wenn ja, dann aber auch nur, weil der Eiserne Kanzler wie so viele Gütersloh mit Güstrow verwechselte …).

Zugegeben, bevor der Bielefelder eine U-Bahn eröffnet, seinen Hauptbahnhof modernisiert oder ein fehlendes Autobahnteilstück baut, wägt er vorher gerne das Für und Wider ab, auch wenn das eine oder andere Jahrzehnt dabei ereignislos verstreicht. Allein das Ergebnis ist für ihn entscheidend, die Zeit muss sich dem Ziel unterordnen. »Langsam Patt kommt auch zur Stadt« heißt denn auch ein Sprichwort aus den umliegenden Bauernschaften.

So ließen Bismarckreden, Bauausschüsse und Bauernweisheiten das böse Vorurteil entstehen, der Bielefelder sei in allem, was er tut, grundsätzlich langsam. Und das stimmt ja nun nicht, da gibt es genügend Gegenbeispiele. Um nur eines zu nennen: Müde wird er sehr schnell.

Am Ende ist es eine gesunde Mischung aus verändernder Strebsamkeit (»tenger(n) machen«) und bewahrender Langsamkeit (»ruich angehn lassen«), die das ostwestfälische Oberzentrum groß und alles in allem doch wohlhabend und lebenswert gemacht hat. Allenfalls könnte man behaupten, dass der Bielefelder, wenn er keine andere Wahl hätte, sich eher als »Drämelpott« (Phlegmatiker) denn als »Hibbelkopp« (Hektiker) bezeichnen lassen würde. Und warum auch nicht? Schnell muss jemand sein, der Flöhe fangen möchte. Wer aber das Leben genießen will, kann das auch ganz, ganz langsam tun.

Zisse(l)männken, das

Bedeutung: *(1) kleiner, hagerer Mensch, (2) kleine Feuerwerkskörper*

Anwendungsbeispiel: (1) Gespräch am Nachbarszaun in Milse: »Kriemelmanns Peter, der is ja so spindeldürr, dass ihm die Tölen nachlaufen, um ihn im Gaaten zu veabuddeln. Der is so 'n richtiges Zissemännken.«

(2) Silvester in Stieghorst. Vater Strusenkamp wählt für seinen Steppke die geeigneten Böller aus: »Sonnen Kanonenschlach is ja nuar was füar Angeber. Und die Knallfrösche sind auch noch zu gefäarlich füar dich. Aber hiear hassen paar Zisselmännken, da kannse Mama mit erschrecken gehen.«

Anders als das bedeutungsähnliche »Mickermännken« ist »Zissemännken« keine Beleidigung, sondern eine liebevolle Umschreibung für einen eher klein- und schlankwüchsigen Mitmenschen, Typ Woody Allan oder Mahatma Gandhi. Nur selten wird das Wort für böse Zwecke missbraucht – zum Beispiel, wenn ein Muskelprotz damit in den entscheidenden Minuten vor einer Kneipenschlägerei seinen scheinbar körperlich unterlegenen Thekennachbarn provozieren will: »Hömma, was bissen du füan Zissemännken?! Dich schnipp ich ja mit einem Finger wech!«

Doch von wegen körperlich unterlegen! Viele »Zissemännken« sind absolut fit, weil überaus sportlich. Zugegeben, die Umkleidekabine eines Basketball- oder Rugby-Teams dürfte zissemännkenfreie Zone sein. Aber dafür findet man umso mehr von ihnen unter Rennjockeys, Zirkusartisten und Skispringern.

Wie zum Beispiel Sven Hannawald, eines der prominentesten Zissemänken Deutschlands. Schade eigentlich, dass der gebürtige Sachse gar nicht wissen wird, was ein Zissemännken ist und sich eher als »änne Boonschdännge«, »ä Schdobbelhobbser« oder »än ausgegnaubldes Gärrschguuchngesichde« bezeichnen würde.

Zissemännken, eher aber noch Zisselmännken, sind auch kleine, oft in einer Matte zusammenhängende Feuerwerkskörper. Als Kind kann man mit einer Handvoll Zisselmännken den kompletten Nachmittag rumkriegen, indem man die Miniatur-Dynamitstangen in sein Spielzeugauto steckt und sich daran erfreut, dass der Modellwagen wie in einer Stuntshow durch die Luft wirbelt. Es kommt also auf den Kontext an, in dem das Wort verwendet wird. Im Zusammenhang mit Spielzeugautos wird mit Zisselmännken eher ein Knallkörper als ein Mensch gemeint sein. Denn so klein, dass es als Testfahrer bei Matchbox arbeiten kann, dürfte denn wohl auch das schmächtigste Zissemännken nicht sein.

Lego- und Playmobilfiguren teilen das Schicksal der Spielzeugautos. Unzählige von ihnen finden bei paramilitärischen Sandkastenspielen durch Zisselmännkenbeschuss ein jähes Ende.

Als Abschussrampe dient oft ein Filzstift, der zunächst von seiner Mine befreit und in dessen leere Stifthülse dann ein kleines Loch hineingestochen wird. In die Stifthülse wird anschließend das Zisselmännken gesteckt und durch das Loch die Lunte entzündet. Mit etwas mehr Gespür für kindliche Bedürfnisse könnten die Firmen Faber-Castell, Staedtler und Pelikan durch die Produktion vorgelochter und entkernter Filzstifte ihren Umsatz um ein Vielfaches steigern.

Die große Stunde der Zisselmännken schlägt natürlich zu Silvester. Zum einen kann man dann als Kind ein Zisselmännken in eine Zigarette einrollen und versuchen, sie zu späterer Stunde einem schon leicht angeschickerten Erwachsenen in die Zigarettenschachtel zu schmuggeln. Mit ein bisschen Glück gibt es dann schon vor der großen Knallerei um Mitternacht eine kleinere, wenn der Raucher seine Zigarette entzündet und sich nach wenigen Zügen dutzende Tabakfetzen auf seinem Gesicht verteilen. Mit ein bisschen Pech – das muss man einkalkulieren – folgt dann eine wiederum etwas größere Knallerei in Form von »Pöterklatsche«.

Zum anderen – und das ist ein viel empfehlenswerteres »Zisselmännken-Rezept« – kann man mit den kleinen Feuerwerkskörpern ein Knallbonbon basteln. Man nehme dazu nur eine abgewickelte Klopapierrolle, drei Pappscheiben in der Größe des Klopapierrollendurchmessers als Boden, Zwischenboden und Deckel der Rolle sowie natürlich allerlei Füllmaterial. Knapp oberhalb des Boden sticht man ein Loch, durch das man die Lunte legt. Die obere Kammer der Rolle füllt man mit Konfetti aus Papas Locher, Wattepads aus Mamas Kosmetikkoffer, Omas Zahnprothesen und zufällig ausgewählten Objekten aus Opas Briefmarkensammlung. Dann zündet man das Ganze und freut sich daran, wie sich der Inhalt des Tischfeuerwerks unter Ausbreitung eines unerträglichen Gestanks im Zimmer und über die Partygäste verteilt.

Kawenzmann, der

Bedeutung: *(1) großer Gegenstand, (2) großes Tier, (3) großer, muskulöser Mensch mit imposanter Erscheinung*

Die entsprechenden Anwendungsbeispiele:

Zu (1). Beim Ball der Wirtschaft in der Stadthalle, veranstaltet von der Industrie- und Handelskammer Ostwestfalen zu Bielefeld, tuscheln zwei Servierdamen: »Hasse gesehn, was die Frau in dem rosanen Kleid füa ne Kette träächt? Der Brilljantklunker da dran is ja faustdick!« – »Ich frach mich schon den ganzen Aamd, was der Ömmes wiecht! Mit sonnem Kawenzmann ummen Hals krisse ja nen Bandscheibenvoafall!«

Zu (2). Gespräch im Angelsportverein Dalbke: »Du, ich waa gestan am Südstadtteich und hab da einen Hecht rausgeholt, der war bestimmt einsfuffzich lang!« – »Das is ja nix. Ich hab da voagestan ein Fahrrad rausgeholt, an dem hat noch das Licht gebrannt!« – »Ach, red doch kein' Stuss. Du willst mich wohl veagackeiern.« – »Gut, dann mach ich dir'n Voaschlach: Wenn du dein' angeblichen Kawenzmann auf sibbzich Zentimeter küazt, mach ich bei meim Fahrrad das Licht aus.«

Zu (3). Szenen einer Ehe am Jahnplatz: »Tu doch was, Hans-Georch! Der Typ da anna Spielhalle, der hat mich eben angerempelt, ich wäa fast gestüazt!« – »Bleib ruich, Earna, dem Dämelack wead ich mal so richtich deabe eine schallern, bis dass er weiß, was sich gehöat! Welcher von den Käalen waar es denn? Das Mickermännken da mit der Pläte auffem Kopp?« – »Nää, daneben der Kawenzmann!« – »Ach so … käar, das hat der doch bestimmt nich extra gemacht. Da hab ma nix um bei …«

Seuche und Sonne

Vielleicht ist es Ihnen als zugezogenem Neubürger bereits aufgefallen: »Seuche« und »Sonne« gehören in Bielefeld zu den am häufigsten verwendeten Wörtern. Was Sie zunächst überrascht haben wird, schließlich kann man nicht behaupten, dass zwischen Teuto und Senne häufiger als anderswo die Pest aus- oder die Sonne durchbricht. Nun, das ganze beruht auf einem sprachlichen Missverständnis, das sich aber schnell auflöst, hört man die Vokabeln »Seuche« und »Sonne« im Zusammenhang eines Satzes. Wie zum Beispiel in diesem Stoßseufzer einer Mutter nach dem Spaghetti-mit-Tomatensoße-Essen auf dem Kindergeburtstag: »Wie seuche kleinen Blagen sonne große Sauerei veranstalten können, iss mir'n Rätsel!«

Zur Vertiefung zitieren wir hier die einige Jahrzehnte zurückliegende Unterhaltung zwischen dem Bielefelder Tabakhändler Crüwell und einem seiner kauf- und rauchfreudigsten, aber zugleich auch anspruchsvollsten und damit schwierigsten Kunden, nämlich Heinrich Bartelskötter (sen.): An jenem Vormittag suchte Bartelskötter nach einer ganz bestimmten Zigarrenmarke, die er erst kürzlich geraucht hatte, allein der Name mochte ihm nicht mehr einfallen. Crüwell holte einen ganzen Stapel Zigarrenkisten aus den Regalen und Schubladen, doch Bartelskötter erkannte die gesuchte Zigarre nicht wieder: »Nä, sonne knickrige waars nich … nä, aber sonnen Kawenzmann waars nu auch wieda nich … mear sonn Mitteldingen, und eher schwatt … also nich direkt schwatt, mehr sonn dunkelbraun … oder hellschwatt … nä, sonne auch nich…«.

Worauf Crüwell ein Dutzend weiterer Zigarren aus seinem Sortiment herbeischaffte – jedoch vergebens. »Nä, das waarn seuche mit sonner Binde drum … nä, sonne helle nich, das wüsstich … hamse nich auch seuche in dunkler?«

Inzwischen hatte Crüwell die dreißigste Zigarrenkiste geöffnet, da geschah das nicht mehr für möglich Gehaltene: »Jau, chenau die sind es! Wie heißn die?« – »Das sind kubanische Terraduras.« – »Jau, Terradingens! Habb ich's doch chesacht! Das waanse! Das sindse! Tja also, … seuche möcht ich auf kein' Fall nochma ham. Die schmeckten nämmich chanz füachtalich.«

Bollen und bollerich

Bedeutung »Bollen«: *im engeren Sinne Oberschenkel*

Anwendungsbeispiel: »Heut gibt's bei uns zu Mittach 'nen gebratenen Hahnemann. Mmh, mir schmeckt ja nix bessa as wie son 'n lecker Hähnken-Bollen mit oantlich Soosse.«

Der Begriff »Bollen« ist nicht allzu häufig anzutreffen. Genau genommen findet er nur in zwei sehr spezifischen Alltagssituationen Verwendung. Die eine ist der familieninterne Verteilungskampf um ein Brathähnchen (»Mama! Heinz-Kevin hat sich beide Flügel genommen! Dann will ich aber beide Bollen!«), die andere der daraus resultierende pädagogische Masterplan der Erziehungsberechtigten zur Wiederherstellung des häuslichen Friedens (»Kinner, die was wollen/krieg'n was auf die Bollen!«).

Die Drohung gegenüber dem Nachwuchs ist allerdings kompletter Unsinn. Zum einen kriegen Kinder, die was wollen, heutzutage das Gewünschte ohnehin, weil sie ihre Eltern diesbezüglich im Griff haben – die Wachstumsraten der Spielzeugindustrie sind dafür Beleg genug.

Und selbst wenn man berücksichtigt, dass der Spruch aus pädagogisch rückständigen Zeiten stammt, in denen noch der Rohrstock zum elterlichen Rüstzeug gehörte, scheinen zum anderen die »Bollen« wohl nur des Reimes wegen erwähnt zu werden. Denn leidtragendes Körperteil solcher angeblich erzieherischer Maßnahmen war doch wohl eher der »Pöter«, aber auf den reimt sich halt nichts Passendes. Das führte immerhin dazu, dass sich die Bedeutung der Bollen von den Oberschenkeln (engerer Sinn) auf den Po (weiterer Sinn) erweiterte.

Bedeutung »bollerig«: *(1) unförmig, zu weit geschnitten (bei Textilien), (2) schroff, ungehobelt, auch: dickköpfig*

Anwendungsbeispiel: »Du ahnzes nich: Schnütenkötters Erna hat tatsächlich ihren Bäathold auf Diät gesetzt! Dabei waa dea doch voahea schon so'n schmächtiges Mickermänchen. Aber getz kann er selbs sein Anzuch vonna Eastkommunion wieder traagn, und es sieht noch bollerich aus.«

Allein wegen der klanglichen Ähnlichkeit wollen wir nach »Bollen« den Begriff »bollerig« vorstellen. Das Adjektiv findet allgemein während der Anprobe beim Herrenausstatter Verwendung, wenn das übergezogene Kleidungsstück etwas weit ausfällt (Neulich bei Zethadeem: »Nää, XXXL is Ihn' denn doch was zu bollerich. Probieansema XXL.«). Jungen und Mädchen kennen den Begriff auch in Zusammenhang mit den Klamotten, die sie von ihren älteren Geschwistern auftragen müssen.

Speziell unförmig gewordene und am Bund ausgeleierte Hosen, die an der Hüfte rutschen und an den Kniekehlen schlackern, werden als bollerich bezeichnet. Folgerichtig lautet der Bielefelder Fachbegriff für ein an Schenkeln und Po etwas zu weites Beinkleid »Bollerbuxe«.

Bollerich kann aber auch auf ungehobeltes Verhalten hinweisen (»Gürjen, sei nich immer so bollerig, wenn mein Kaffekränsken zu Besuch is!«). Wer immer gleich lospoltert und aus nichtigem Anlass rumbölkt, oder wer höfliche Fragen – wenn überhaupt – grundsätzlich lustlos bis pampig beantwortet, hat schnell seinen Ruf als »Bollerkopp« weg.

Bollerwagen, der

Bedeutung: *Handwagen, Leiterwagen*

Die Frage liegt nahe, ob der in der vorangegangenen Lektion durchgenommene »Bollen« in einem sprachlichen Zusammenhang mit dem »Bollerwagen« steht. Trotz der klanglichen Ähnlichkeit ist das wohl eher nicht der Fall, schließlich ist ein Bollerwagen ein Handwagen und kein Oberschenkelwagen. Die Herkunft des Wortes hundertprozentig klären konnten allerdings selbst dazu befragte Sprachforscher nicht – was mal wieder typisch ist für die moderne Wissenschaft: Da lässt man auf dem Mars ferngesteuerte Roboter Gesteinsproben sammeln, aber warum in Ostwestfalen der Bollerwagen Bollerwagen heißt, kann einem niemand mit Bestimmtheit sagen.

Die naheliegendste Erklärung ist, dass der Bollerwagen seinen Namen vom bollernden, d.h. vom klappernden, scheppernden Krach hat, den er erzeugt. Oder besser gesagt: erzeugte. Heute sind Bollerwagenräder gummibereift und die Straßen geteert, doch um 1900, als der Handwagen ein alltäglicher Gebrauchsgegenstand war, rumpelten mit Eisen beschlagene Holzräder übers Kopfsteinpflaster. In den Niederlanden heißt der Bollerwagen mancherorts »Boldercar«, was mit »polternde Karre« wiedergegeben werden kann.

Es gibt allerdings auch die Version, dass das klassische Transportvehikel seinen Namen vom Berliner Meierei-Besitzer Carl Bolle hat, der 1888 den Milch-Direktvertrieb erfand. Auf kleinen Holzkarren – den »Bollewagen« – brachten die Milchmänner die Produkte von Tür zu Tür. Daraus mag sich in Berlin der Name »Bollerwagen« entwickelt haben, und da die Bielefelder seit jeher ausgesprochen berlinfreundlich sind (durch Brackwede führt die »Berliner Straße«, im Café Knigge gibt es immer leckere »Berliner«, Arminia überlässt in neun von zehn Spielen Hertha drei Punkte), würde es nicht verwundern, wenn sie diesen Begriff übernommen hätten.

Außerdem war Miele, einer der größten Arbeitgeber am Ort, eine ganze Zeit lang Basis der Bollerwagen-Bewegung und eine Hochburg der Handwagen-Herstellung. Weil Metall während des Ersten Weltkrieges für wesentlich unschönere Dinge als Waschmaschinen und Milchzentrifugen gebraucht wurde, kam es bei Miele zu Engpässen in der Produktion. Deshalb suchte das Unternehmen nach einem Artikel aus Holz, den es herstellen konnte, um sein Werk auszulasten – und fand den Bollerwagen. Ab 1915 fertigte Miele zwei überaus erfolgreiche Bollerwagen-Modelle, und zwar laut Werksprospekt das Modell A und das Modell B (durch die Namensfindung im eigenen Haus konnte wertvolles Geld für überteuerte Marketing-Kreationen eingespart werden).

Vielfach wurden die Produktneuheiten allerdings nur »blaue Wagen« genannt. Die Miele-Bollerwagen bekamen nämlich auf Wunsch zum Zwecke der längeren Lebensdauer eine blaue Lackierung, Räder inklusive. Warum Miele trotz seiner Hausfarbe Rot ausgerechnet einen blauen Anstrich für die Bollerwagen wählte, darüber kann nur spekuliert werden. Auf Anhieb logisch erscheint die Erklärung, dass die Lackierer in ihrem indigofarbenen Arbeits-Overall, dem Blaumann, bei dieser Farbwahl ruhig einmal kleckern konnten. Wobei – ist verschmutzte Wäsche nicht eigentlich die Geschäftsgrundlage von Miele?

Jedenfalls erfreute sich der Miele-Bollerwagen bis in die 1950er Jahre größter Nachfrage, dann lief ihm der VW Bulli den Rang als beliebtester Kleintransporter ab. Dass das Auto die Handkarren fast komplett verdrängte, mag zunächst verwundern, weil doch ein Bollerwagenbesitzer weder steigende Benzinpreise noch Parkplatzprobleme zu fürchten hat. Doch die prestigeträchtigere Karosserie und die besseren Beschleunigungswerte sorgten dafür, dass sich immer mehr Menschen motorisierten und, vor die Entscheidung »Karren oder Karre« gestellt, letztere wählten. Aber die nächste Benzinpreis-Erhöhung kommt bestimmt, und dann gibt es wieder so viel Nachfrage, dass Miele spätestens 2015, passend zum 100. Jahrestag seiner Bollerwagen-Produktion, das Modell C auf den Markt bringt …

Schlinderbahn, die

Bedeutung: *selbstgemachte Eisbahn*

Anwendungsbeispiel: »Nä, wat is Bauer Kniepenkötter doch füa 'n knickerigen Keal! Seine Blagen ham sich zu Weihnachten was zu spielen gewünscht, und was ham se gekricht von ihm? Ein' Eima Wasser mit den Woaten: Da könnta Euch 'ne Schlindabahn von machen!«

Die Schlinderbahn ist in ganz Nord- und Westeuropa beheimatet, wo sie sich allerdings nur in den Wintermonaten aufhält. In der freien Natur kommt sie auf zugefrorenen Bächen und Gräben vor, oft ist sie auch auf größeren – vormaligen – Pfützen zu finden. Schlinderbahnen haben sich perfekt an die menschliche Zivilisation angepasst; in unseren Städten bevölkern sie mit Vorliebe Bürgersteige und Spielstraßen, wo sie, anhaltende Minusgrade vorausgesetzt, bis zu fünf Meter lang werden können. In der Nähe von Spielplätzen und Schulhöfen sind sogar schon doppelt so große Exemplare gesichtet worden.

Speziell in Bielefeld sind Schlinderbahnen jedoch vom Aussterben bedroht. Schuld daran sind zu gleichen Teilen das milde Winterklima sowie die stetig zunehmende Population von Hausmeistern. Diese bekämpfen die oft erst wenige Stunden alten Schlinderbahnen rücksichtslos mit Sand und Streusalz. In Bielefeld wurden daher schon früh zwei künstliche Biotope angelegt: 1975 am Rande der Innenstadt die Delius-Eisbahn, 1977 in Brackwede die Oetker-Eisbahn. Doch leider wurde das erste, citynahe Schlinderbahn-Reservat 2003 abgerissen – Anfang Juni, als sich die bedauerns-

werten Bahnen am wenigsten wehren konnten! Pläne für eine alternative Eisbahn in der Innenstadt wurden wieder auf Eis gelegt. Wer nun trotzdem in der Bielefelder City nicht nur schlendern, sondern auch schlindern will, muss es also Bauer Kniepenkötter gleichtun und seinen Eimer Wasser selbst mitbringen.

Döppen und döppen

Bedeutung: *(1) Augen, (2) jemanden unter Wasser tauchen, (3) entschoten*

Anwendungsbeispiel: (1) Der Vater stellt den Verehrer seiner Tochter zur Rede: »Ich hab gehöat, Sie ham die letzte Nacht bei unser Mia geschlafen?!« – »Da könnse ma sehn, wie die Leute lügen. Ich schwöre, ich hab die Döppen nich eine Minute zugekricht!«

»Döppen« (oder auch »Döppe«) für Augen ist eine eher selten verwendete Vokabel. Sie kommt eigentlich nur in Sätzen mit Befehlsform vor, wobei die Aufforderung, die Döppen auf- bzw. zuzumachen, meist im übertragenen Sinn für »Pass auf!« bzw. »Schlaf ein!« steht. So schreit der Fußgänger dem Fahrradfahrer hinterher, der ihn beinahe umgefahren hätte: »Mach die Döppen auf, du Dämelack!«. Und die Mutter, die ihren Sprössling zum dritten Mal an diesem Abend ins Bett bringt, wirft mit dem Begriff alle pädagogischen Ideale über Bord. Hat sie ihrem Nachwuchs beim ersten Zubettgehen noch zärtlich zugeflüstert: »Nun geh schön ins Bett, schließ die Äuglein und träum was Schönes«, so lautet die Version in der letzten Eskalationsstufe: »So, getz is endgültich Feiaahmd – ab in die Falle, Döppen dicht und Matratzenhoarchdienst!«
Außerhalb solcher Extremsituationen sollten Sie mit dem Begriff sparsam umgehen. Übertriebene Verwendung mundartlicher Vokabeln wird bei Zugezogenen als Anbiederei empfunden, reden Sie also bitte Ihren Augenarzt nicht mit »Döppendoktor« an.

Anwendungsbeispiel: (2) Im Treppenhaus: »Könnse nich die Döppen aufmachen, bevor Se hiea mit ihra Töle einfach so durchtapern?! Sie sehn doch, dass ich hiea wische!« – »Wischen ist gut! Sie fluten die Treppe ja geradezu. Und höanse sofoat auf, mein' Fido zu döppen!«

Während das Substantiv »Döppen« eher selten Verwen-dung findet, kommt die Verbform »döppen« recht häufig vor. Zu Recht, fasst sie doch griffig in einem Wort zusammen, was man sonst umständlich mit »jemanden im Wasserbecken kurz unter die Wasseroberfläche drücken« formulieren muss. Diese Umschreibung passt zwar auch auf »taufen« (und sprachhistorisch haben die beiden Begriffe in der Tat dieselben Wurzeln), aber »döppen« meint etwas anderes, nämlich die im Wiesenbad bevorzugte, allerdings langfristig nicht immer zielführende Methode pubertierender Jugendlicher, Kontakt mit dem anderen Geschlecht herzustellen.

Geht einem Bielefelder ein besonders penetranter Vielredner (ein »Quasselpott«, »Sabbelkopp« oder »Ärgerpohl«) auf die Nerven, so kann er ihn mit folgenden Worten höflich, aber bestimmt um Beendigung seines Monologes bitten und ihm eine Alternativ-Beschäftigung anheim stellen: »Komm, mach was de wills', geh meinswegen Pillepoppen döppen, aber höä auf, mich zuzuquatern!«

Und schließlich bezeichnet man mit »döppen« noch das Pulen von Hülsenfrüchten – zumindest bezeichnete man es so, als selbst Stadtkinder noch wussten, dass Erbsen und Bohnen nicht in Konservendosen wachsen. Eine friemelige Arbeit, die heute Herr Bonduelle für uns erledigt. »Kniepeköppe«, also etwas geizige Bielefelder, döppen allerdings noch immer selbst – weil sie so besser Erbsen zählen können …

Schluffen, der

Bedeutung: *Pantoffeln*

Anwendungsbeispiel: Philosophie im Alltag: »Wenn du ein Paar Schluffen hass, und den einen Schluffen davon hasse nich mehr, sondean du hass nur den andern Schluffen – dann hasse von allen beiden Schluffen nix!«

Wir frischen zunächst das Gelernte aus Lektion 3 wieder auf: Um den gemütlichen Teil des Abends einzuläuten, wechselt der Bielefelder seine am Tage getragene Kleidung gegen einen Pölter. Meist besteht die »ostwestfälische Abendgarderobe« aus einem Dreireiher: Das vom Abendessen gespannte Bäuchlein wärmt ein Wämmsken, eine Beckenentzündung verhindert die Schlafbuxe, und damit es auch die Füße schön mollig haben, trägt man Puschen, Schlappen oder Schluffen.

In den Herrenhäusern am Hang des Johannisbergs oder den Villen im Musikerviertel ist dies fast genauso – allerdings eben nur fast. In den nobleren Kreisen trägt man nämlich nach dem Dinner ein Nachtgewand und eine Pyjamahose sowie Hausschuhe, Samtfutter-Mokassins oder Elchleder-Pantoletten.

Elchleder-Pantoletten sehen aus wie Schluffen, kosten aber das Dreißigfache. Das muss einen Grund haben. Und in der Tat, alle Hausschuhe leisten ihren Trägern gute Dienste: Läutet es in einer Villa am späten Abend (nach Dienstschluss des Hauspersonals) noch an der Eingangspforte, so ist es dem Hausherrn dank seiner Hausschuhe möglich, sich behenden Schrittes und geräuscharm über den Parkettfußboden zu bewegen, die Mamortreppe hinabzueilen und den Besuch zu empfangen.

Ein Schluffenträger kann das nicht. Nicht nur in Ermangelung einer Marmortreppe, sondern auch, weil er Schluffen trägt. Denn mit Schluffen geht nichts bzw. niemand behende und geräuscharm, im Gegenteil. Dafür bieten sich andere Produktvorzüge: Schellt es bei einem Schluffenträger noch nach neun an der Tür, so ist es diesem dank seiner Schluffen möglich, vom Fernsehsessel zur Wohnzimmertür zu schluffen, d.h. ohne Eile und ohne je dabei den Kontakt zwischen Sohle und Fußboden abreißen zu lassen durch das Zimmer zu schlurfen, und das Licht auszuknipsen, bis der Besuch wieder abzieht. Der Vorteil gegenüber Hausschuhen ist offensichtlich.

Merke: Schluffen sind bequemer. Schluffenträger auch.

Übrigens gilt Schluffen auch als Bezeichnung für einen vielleicht etwas beschränkten, aber im Grunde doch liebenswerten und sympathischen Menschen: »Er iss doch 'n treuen Schluffen!« (für den Fall, dass der Mensch weniger liebenswert, dafür aber etwas beschränkter ist, auch: »Er iss doch 'n treudoofen Schluffen.«). Woher die Verbindung zwischen »Schluffen« und »treu« kommt, dürfte klar sein: Während die wenigsten Frauen wissen, dass man auch solche Schuhe anziehen kann, die man bereits besitzt, würden sich Männer niemals freiwillig von ihren alten Pantoffeln trennen. Manche Puschen sind Familienerbstücke, mit denen schon der Ururgroßvater durch die Kammer geschlufft war, um die Kerzen auszublasen, bis der nächtliche Besucher das Klopfen eingestellt hatte und wieder abgezogen war.

friemeln

Bedeutung: *etwas mit meist viel zu großen Fingern zurechtpuzzeln. Eine friemelige Tätigkeit bezeichnet man entsprechend als »Friemelarbeit« oder auch »Friemelei«.*

Das Anwendungsbeispiel bildet diesmal nicht den Anfang, sondern den Schluss der Lektion, da es nur im Kontext der folgenden Anekdote zu verstehen ist.

Matthias Laurentius Becker (1843 – 1904) war ein katholischer Pfarrer mit einer westfälischen Karriere: Er wuchs in Brilon auf, studierte in Münster und wurde in Paderborn zum Priester geweiht. Als Zeitzeuge der Bethel-Gründung folgte er dem Bielefelder Beispiel Friedrich von Bodelschwinghs und engagierte sich stark für karitative Zwecke. So war er z. B. im benachbarten Gütersloh Mitbegründer des St.-Elisabeth-Hospitals.

Außerhalb der Kirche trug Becker eine Soutane, einen talarähnlichen schwarzen Mantel. 33 Knöpfe waren daran – die Zahl stand symbolisch für die Lebensjahre Jesu, sorgte aber auch dafür, dass Becker stets etliche Minuten brauchte, bis er dieses Gewand zugeknöpft hatte.

Doch nicht nur deshalb war – Symbolik hin, Symbolik her – die Verschlusstechnik alles andere als funktional. Zum einen durfte bei 33 Knöpfen jeder einzelne nicht allzu groß sein, so dass das Zuknöpfen für den durchaus stattlich gebauten Geistlichen eine feinmotorische Herausforderung darstellte.

Zum anderen konnte es passieren, dass sich Becker »verknöpf-
te«: Er steckte den ersten Knopf oben am Kollar versehentlich ins zweite Loch; ein Missgeschick, das sich erst geraume Zeit später am unteren Ende des Pfarrers als solches zu erkennen gab.

Seine Messdiener konnten diesen Kampf mit der Materie regelmäßig beobachten; ihre Vorfreude auf den absehbar ledig bleibenden Knopf setzte deshalb bereits in Hüfthöhe ein und entlud sich schließlich am Saum in einem Prusten. Worauf Becker ebenso regelmäßig halb erbost, halb entschuldigend meinte: »Chrundchütiger, dat iss aber auch alles friemelich!«

Modder und Motsche

Bedeutung: *Matsch, nasse Erde*

Anwendungsbeispiel: »Gustus, wie oft habbich dir gesacht, ihr sollt nich auffen Bolzplatz wenn's so deabe plästert. Was müsst ihr Blagen auch immer inna Motsche pölen – getz siehsse aus wie's Moddermonster, und ich daaf zusehn, wie ich die Plünten wieder sauber krich!«

In früheren Zeiten, als noch keine fußballfeldgroßen Spielwaren-Kaufhäuser an den Ortseingängen der Städte standen und es Kinderzimmer ohne Playstation-Konsole gab, da spielten Kinder bisweilen noch draußen (die Älteren unter den Lesern werden sich erinnern).

Besonders geeignete Spielplätze waren (und sind es trotz allem auch noch heute) solche, wo es Modder gibt – also an Teichen und Tümpeln, im Wald oder im Park nach einem Regenguss. Da ist die Erde dann nämlich prima glitschig, rutschig, matschig, und wenn man fünf Jahre alt ist, reicht das völlig aus, um sich den Rest des Tages zu beschäftigen – und wie obiges Anwendungsbeispiel zeigt, nicht nur sich selbst, sondern auch die armen Eltern, die später die Schlammkruste von Stiefeln, Hose und Anorak kratzen müssen.

Auch in den trockenen Sommermonaten will kein Kind auf diesen Spaß verzichten. Weil es im August jedoch kaum natürliche Moddervorkommen gibt, wird künstliche Motsche angerührt. Dazu reichen ein Sandkasten und ein paar Eimer Wasser. Das Gemisch kann man dann der Kindergärtnerin als Erbsensuppe anbieten oder aber zur Freude aller vollflächig auf der Rutschbahn verteilen – als Kind denkt man ja noch nicht egoistisch, sondern teilt gerne, was man hat.

Eine persönliche Anmerkung des Autors: Das Wort »Motsche« ist eines meiner Lieblingswörter, gehört es doch zu den lautmalerischsten des Bielefelder Sprachschatzes. Es gibt ziemlich genau das Geräusch wieder, das entsteht, wenn ein Gummistiefel in eben jene Motsche stampft. Zugegeben, die Faszination liegt etwas im Verborgenen. Erst wer es zehnmal hintereinander laut aufsagt, wird den unermesslich schönen Wohlklang des Wortes entdecken, ja spüren. Und von seiner Umgebung für »wahne« erklärt werden. Deshalb lernen wir dieses Wort in der nächsten Lektion.

rammdösich und wahne

Bedeutung: *verrückt*

Anwendungsbeispiel: »Ja seid ihr wahne, hiea so rumzuramentern, während Omma ihr Mittachsschläfken macht? Die wiad doch ganz rammdösich bei euam Läam!«

Beispielhafte Situationen, in denen jeder Bielefelder rammdösig wird, wenn er nicht schon wahne ist, sind: am letzten Samstag vor den Weihnachtsfeiertagen in der City einkaufen gehen, hinter zwei auf dem Ostwestfalendamm mit 50 km/h parallel nebeneinander fahrenden Lippern festsitzen, Arminia-Fan sein.

Ansonsten dürften die beiden Vokabeln inhaltlich klar sein. Völlig unklar ist dagegen, woher eigentlich der Begriff »rammdösig« kommt. Der zweite Teil des Wortes ist sprachwissenschaftlich noch nachvollziehbar: Wer »döst« kann schon eingeschlafen sein oder noch halb wach, in jedem Fall träumt der oder die Dösende vor sich hin. »Dösig« ist also jemand, der schläfrig, benommen und deshalb nicht im Vollbesitz seiner geistigen Kräfte, sprich dumm ist. Wir finden die Silbe in so unermesslich schönen Beleidigungen wie »Döskopp« oder »Dösbaddel« wieder. Letzteres kommt übrigens vom mittelhochdeutschen »Büttel«, eine (abwertende) Bezeichnung für einen Diener – ein »Dösbaddel« ist also ein dummer Diener, der die ihm gestellten Aufgaben nicht zur Zufriedenheit seines Herrn erledigen kann.

Was aber soll das »ramm« in rammdösig? »Ramme« ist eine alte Bezeichnung für einen Widder. Vielleicht rührt der

Begriff also daher, dass Schafe oft stundenlang regungslos auf der Weide stehen und vor sich hin dösen. Nicht auszuschließen ist aber auch, dass »rammdösig« den Bewusstseinszustand beschreibt, der sich bei jedem, der während der Brunftzeit einen Widder ärgert, nach dem Aufwachen im Krankenhaus einstellt.

Pöter, der

Bedeutung: *Gesäß, Hintern*

Anwendungsbeispiel: Pragmatische Pädagogik in Oldentrup: »Was heulze denn so? Kriss gleich was auf 'n Pöter, dann hass'n Grund zum Heulen!«

Nach einem Ausflug zu Peter auf'm Berge: »Wir sind gestern mittem Rad nachen Fernsehtuarm hochgejuckelt. Ker, sind da viele Huckel auffer Strecke. Mir tut der Pöter getz noch weh! Das Restorang dort solltense mal in ‚Pöter auf'm Berge' unbennenen …«

Jeder hat einen, aber nicht bei jedem wird der Pöter Pöter genannt. Vornehmlich bezeichnet man mit dem Begriff nämlich Kindergesäße (vgl. die Redewendung »glatt wie ein Babypöter«). Ob ausgewachsene Hintern als Pöter bezeichnet werden, hängt von Form, Straffheit und Knackigkeit bzw. deren Fehlen ab.

Nahezu undenkbar wäre es zum Beispiel, das knackige Hinterteil eines Robbie Williams als Pöter zu bezeichnen – auch wenn die Neigung des Rockstars, seinen verlängerten Rücken bei Bühnenshows zu entblößen und uns damit ein solches Urteil zu erlauben, frühkindliche Verhaltensmuster beinhaltet. Merke: Ein Pöter hat kein Sexappeal!

nönkern

Bedeutung: *Mittagsschlaf halten*

Anwendungsbeispiel: Noch wenige Stunden bis zur Theaterpremiere. Als Testpublikum hat der Regisseur ein Seniorenheim zur Generalprobe eingeladen. Nach der Aufführung befragt er einige Zuschauer, wie ihnen das Stück gefallen habe, und gerät dabei ausgerechnet an Willi Kleinewullenkamp, der ihm antwortet: »Ein chanz erfrischendes Stück!« – »Dann hat es Ihnen gefallen, ja?« – »Das tät ich sso nich behaupten wolln, aber ich hab ein bissken nönkern könn'.«

Ostwestfalen, die tief und fest schlafen, poofen (meistens in der Poofe bzw. der Falle). Ostwestfalen, die nur leicht vor sich hinträumen, dösen (meistens am Arbeitsplatz bzw. im Unterricht). Genau zwischen diesen beiden Aktivitäten bzw. Nicht-Aktivitäten liegt das Nönkern – das kurze und dennoch intensive Schlafen.

Zeitlich ist nönkern recht eingegrenzt: Wie der Name schon sagt, nönkert man in der Mittagszeit, so zwischen 12 und 15 Uhr. Denn »nönkern« oder auch »None halten« kommt von »Non«, und die Non bezeichnet seit dem Mittelalter eine Gebetszeit im klösterlichen Tagesablauf, nämlich die neunte Stunde nach Anbruch des Tages. Den Bürgern der Bielefelder Partnerstädte Rochdale und Enniskillen im Vereinigten Königreich ist dieser Zeitbegriff noch geläufiger: Er findet sich beispielsweise wieder im Wort »afternoon« = »nach der Non, Nachmittag«.

Im Lauf der Jahrhunderte änderte die Non ihre Funktion, und aus der Gebets- wurde eine Ruhezeit. Längst ist in Bielefeld der hier noch um 1850 vorherrschende Pietismus der Ravensberger Erweckungsbewegung abhanden gekommen, und da verwundert es nicht, dass viele Bielefelder heute lieber Muße als Buße tun und sich zur Non, statt zu beten, betten …

össelich

Bedeutung: *ungepflegt, verschmutzt*

Anwendungsbeispiel: »Deppermanns, das sindse! Der Voagaaten iss tiptop in Oadnung, und die Eingangstüa ham se neu gestrichen, aber wehe, du kucks hinters Haus – da blätteat der Putz ab, die Terasse is siffich und die Makiese flättich. Tüppischer Fall von voane hui und hinten össelich.«

Mit »össelig« (auch »öhselich oder »usselich«) beschreibt man Gegenstände, die durch Verschleiß oder mangelnde Pflege einen etwas heruntergekommenen Eindruck machen. Bevor aus dem Neuwagen eine Rostlaube wird, sieht das Auto össelig aus. Bevor der Neubau zur Ruine verkommt, wirkt die Fassade verösselt.

So dient der Begriff auch dazu, den Pflegezustand von Textilien zu präzisieren. Wenn ein Seidensticker-Hemd am Kragen einen Schmutzschatten hat, ist es zwar nicht mehr porentief rein, aber deshalb noch lange nicht össelig. Wenn man beim Löffeln des Oetker-Schokopuddings einen plötzlichen Schluckauf bekommt, dann ist das Hemd ebenfalls nicht össelig, sondern vollständig versifft. Ein össeliges Hemd befindet sich in der Mitte dieser beiden Extreme, es hat aufgehende Nähte, abgewetzte Stellen, Schweißränder oder Katzenhaare.

Wer nun aus Begeisterung über das Wort ein össeliges Hemd anziehen möchte, jedoch nur ein frisches, reinweißes Seidenhemd zur Hand hat, kann zweierlei tun: 1. es zwei Wochen ununterbrochen tragen oder 2. den sonst langwierigen Prozess des Verösselns simulieren. Dazu einfach einen nikotinbeigen bis schlammbraunen Socken in die Hemdtasche stecken und in die Kochwäsche geben, danach alles bei höchster Temperatur in den Trockner schmeißen und schließlich das Hemd ohne zu bügeln überziehen.

Allerdings machen Kleider bekanntlich Leute. Wer solch ein Hemd trägt, sollte sich darüber klar sein, dass er automatisch als Össelkopp gilt.

schännen

Bedeutung: *ausschimpfen, keifen, verbal zusammenstauchen*

Anwendungsbeispiel: Ostwestfälische Weisheit: »Wills du, dass gemand dich lobt, muss du stärm [sterben]. Wills du, dass gemand dich schännt, muss du heiratn.«

Der Begriff »schännen« klingt urwestfälisch. Und in der Tat ist er in vielen hiesigen Mundart-Wörterbüchern aufgeführt. Kurioserweise findet man ihn aber auch in Sprachfibeln, die sich mit hessischer, fränkischer, plattdeutscher oder gar luxemburgischer Mundart beschäftigen – und jeder Verfasser meint, einen für seine Region typischen und einzigartigen Begriff aufgenommen zu haben. Wir halten also fest: Schännen ist sicherlich kein für Bielefeld typischer Begriff, sehr wohl aber kann man typisch Bielefelderisch schännen.

Dem schimpfwütigen Bielefelder steht dazu eine eindrucksvolle Palette klangvoller Kraftausdrücke zur Verfügung. Natürlich kann man auch ohne deren Verwendung schännen, aber mehr Spaß macht es natürlich mit. Und man kennt das ja: Der Mann wirft seiner Frau etwas vor, die Frau wirft ihrem Mann etwas nach, und so wird die geplante Standpauke zu einem Disput, in dem beide das letzte Wort haben wollen. In einer solchen Situation empfiehlt es sich, einige wirkungsvolle Beleidigungen parat zu haben. Es verstärkt die Wirkung kolossal, wenn Sie die nachfolgend aufgeführten Schimpf-, Schelt- und Schmähwörter auswendig lernen und im Streitfall mit schneller und lauter werdender Stimme nacheinander aufsagen – aber bitte verraten Sie nicht, wo Sie solche Ausdrücke gelernt haben ...

... Abelhans, Ärgerpohl,
Blödhammel, Blödkerl, Bratze,
Bullerkopp, Buxenpisser, Dämelack,
Döskopp, Dreckschüppengesicht,
Dummbatz, Gaffelzange, Gesocks, Gizpinn,
Hibbelhannes, Jökeltrine, Knickerbold, Laumann,
Miesepeter, Muckenplock, Möppel, Össelkopp,
Pannemann und Söhne, Pansen, Pappjackel, Pottsau,
popeliges Puselchen, schlonziger Schluckspecht,
schmoddriger Schnottenpatt,
Schweinepuckel, Speckdeckel, Stiesel,
Stükenstoffel, Stussmann, Töffel,
Tranfunzel, Tremenier-
bock, Unducht ...

Pillepoppen, die

Bedeutung: *Kaulquappen*

Anwendungsbeispiel: »Guck mal, Mami, da schwimmen Babyfische!« – »Das sind keine Fische, das sind Pillepoppen.«

Es gibt wohl keine ostwestfälische Vokabel, über die sich Auswärtige derart amüsieren können, wie der in fremden Ohren offensichtlich kurios klingende Begriff »Pillepoppen«. Für Einheimische ist es höchst vergnüglich, Zugereiste die Bedeutung des Wortes raten zu lassen. An dieser Stelle sei gleich gesagt: Nein, trotz seiner Bestandteile »Pille« und »poppen« hat der Begriff nichts mit Schwangerschaftsverhütung zu tun. Im Gegenteil, er steht eher für ungezügelte Vermehrung. Das heißt, er stand dafür. Denn einige Froscharten sind leider rar geworden in den Teichen und Tümpeln Bielefelds.

Es gibt immer weniger Pillepoppen und demzufolge auch immer weniger Kinder in OWL, die diese Vokabel kennen. Zum Überleben der Pillepoppen tragen in Bielefeld die Gärtner des Botanischen Gartens bei, die den Amphibiennachwuchs im Seerosenbecken hegen, und einige Erzieherinnen und Erzieher, die den Namen für ihre Krabbel- oder Kindergartengruppen gewählt haben. In anderen Gegenden Ostwestfalens sind die Pillepoppen auch als Pillepoggen bekannt, was die Erklärung der Wortherkunft vereinfacht: Poggen ist der plattdeutsche Ausdruck für Frösche. Ältere Leser kennen vielleicht noch das früher sehr bekannte Kindergedicht des Ahlener Mundartdichters Augustin Wibbelt über das Fröschlein mit der grünen Hose: »Pöggsken sitt in'n Sunnenschien / met de gröne Bücks!«

Wer den hochdeutschen Begriff »Kaulquappen« in eine Internet-Suchmaschine eintippt, macht eine erstaunliche Feststellung. Nicht Webseiten von Naturschutzverbänden und Landschaftsbehörden dominieren die Ergebnisliste, sondern wissenschaftliche Artikel, die sich mit Weltraumforschung befassen. In regelmäßigen Abständen werden nämlich immer wieder Froschlarven ins All geschossen, um den Einfluss der Schwerelosigkeit auf die Entwicklung des Lebens zu erforschen – wofür auch immer das gut sein mag. Außerdem gibt es 420 Millionen Lichtjahre vom Seerosenbecken des Botanischen Gartens entfernt tatsächlich eine »Kaulquappen-Galaxie«, so genannt wegen ihres langgezogenen Spiralarms, der ihr das entsprechende Aussehen verleiht.

Das alles ist ein schwacher Trost für das Froschsterben, gibt aber vielleicht auch Anlass zur Hoffnung: Mögen die Tiere aus unseren Bächen auch langsam verschwinden, in den Tiefen des Alls gibt es eine Zukunft für sie – an Bord einer Weltraumkapsel im Sternbild Pillepoppen.

waam, mollich und bullenheiß

»Hitze« ist eine subjektive Empfindung. In Bielefeld löst das Wort bei verschiedenen Einwohnern völlig unterschiedliche Vorstellungen aus. Für die Schüler des Ratsgymnasiums sind 30 Grad heiß genug, um »hitzefrei« zu fordern, für den Kundendienst von Miele sind aber 30 Grad eher kalt – 60, eher noch 95 Grad gehen beim Hausgeräte-Hersteller als hohe Temperaturen durch. Die Bäckermeister Kaupmann, Wester und Bürenkämper verstehen unter Hitze mindestens 200 Grad auf mittlerer Schiene, während die in der Caterick-Kaserne stationierten Briten schon alle Außentemperaturen über 10 Grad als Hitze definieren und deshalb auch ab Mitte Februar nur noch T-Shirts tragen.

Um solche sprachlichen Ungenauigkeiten zu vermeiden, kennt der Ostwestfale zumindest für die gängigen Lufttemperaturen klare begriffliche Abgrenzungen. Fangen wir, zum Warm-up, mit den niedrigen Wärmegraden an: Von 17 bis 22 Grad ist es angenehm temperiert, sprich: »waam«. Ist es wärmer als »waam«, dann ist es »mollich«. Das kann als behaglich empfunden werden (»Im Bett ist es so schön mollich!«), aber auch als übertrieben (»Kerr, ihr habt 's aber mollich waam bei euch inna Wohnung – wollt ihr hiea 'ne Sauna aufmachn?«).

Ist es so warm, dass die Grenze zur Erträglichkeit schon überschritten wurde, ist es »bullenheiß«. Weil Ostwestfalen nicht in der subtropischen Klimazone liegt, sind an einer solchen Temperaturentwicklung meist künstliche Faktoren schuld (»Vadorrich, wäand wir wech waan, is das Teamostaat inne Dutten gegangn – getz hat die Heizung den ganzen

Ualaub durchgebullert!«). Doch manchmal hat die Hitze auch natürliche Ursachen – und unnatürliche Wirkungen. Über den Jahrhundertsommer 2003, als das Thermometer selbst im Schatten der Sparrenburg 40 Grad anzeigte, weiß Bauer Lohmann zu berichten: »Sommertach waa hiea sonne Bullenhitze, dass die Hühna haatgekochte Eia gelecht ham!«.

zugange sein

Bedeutung: *mit etwas beschäftigt sein, etwas angefangen haben*

Das Universalverb »zugange sein« wird in der Umgangssprache häufig verwendet. Weil es nicht allen zugezogenen Neubürgern fremd sein dürfte, wollen wir uns in der heutigen Lektion auf eine besonders subversive Einsatzmöglichkeit der Vokabel konzentrieren.

Viel besser als mit Verben des Schriftdeutschen lässt sich nämlich mit »zugange sein« herrlich unterschwellig eine Geringschätzung des Akteurs oder seiner Tätigkeit vermitteln. Der Vorteil: Offiziell wird nichts Böses gesagt, und doch hört man heraus, was der Sprecher von der ganzen Sache hält, nämlich nichts. Dazu einige Beispiele:

Die Frage »Wie lange bist Du bereits mit dem Aufbau des Regales beschäftigt?« liest sich inhaltlich wertungsfrei. Die ostwestfälische Variante »Wie lange bisse denn nu schon an dem Reahl zugange?« spricht dem bemühten Kleinmöbel-Monteur hingegen in geradezu perfider Weise selbst einfachste handwerkliche Fähigkeiten ab.

Mit den Worten »Mein Mann bastelt in seine Freizeit gerne an seinem Auto herum«, beschreibt die Ehefrau liebevoll das Hobby ihres Mannes. Weniger liebevoll formuliert wird aus der Feststellung ein Vorwurf: »Mein Mann is in geder frein Minute an seim Auto zugange« unterstellt dem Ehegatten, dass er keine notwendigen und unaufschiebbaren Reparaturen durchführt, sondern nach Meinung und auf Kosten seiner Gemahlin eine zu enge Beziehung zu seinem Vehikel unterhält.

Apropos Beziehung: »Gerda ist jetzt mit Norbert zusammen« ist eine neutrale Beziehungsanalyse, die nichts über die Innigkeit der noch frischen Liaison verrät. Auf gut Bielefelderisch ausgesprochen lautet der Satz »Gerda is getz mit Noabeat zugange« und schließt ein rein platonisches Liebesverhältnis aus.

Ein letztes Beispiel: Trifft ein Bielefelder Theaterbesucher in Unkenntnis der genauen Zeit leicht verspätet im Foyer ein, wird er den Platzanweiser fragen: »Hat das Stück bereits begonnen?« Ist er jedoch kein wirklicher Schauspielfan, sondern nur gekommen, weil sein Chef ihn eingeladen hat und er sich zur Kultur genötigt sieht, wird seine fehlende Theateraffinität in der Frage erkennbar: »Sind se drinnen schon zugange?«

kniepich

Bedeutung: *geizig, knauserig*

Anwendungsbeispiel: »Ker, was iss der Gäad doch füa 'n Knickerbold! Letztens hat er beim Zähneputzen zu feste auffe Zahnpastatube draufgedrückt, und kniepich wiea is, hat er dann eine Stunde rumgefriemelt, bis er das Zeuch wieda drinhatte!«

Man kann den Bielefeldern ja vieles unterstellen, aber nicht, dass sie geizig sind. Dazu fehlt ihnen schlicht das Geld. Wenn sie derzeit nicht allzu freigiebig konsumieren, dann höchstens, weil sie sehr sparsam wirtschaften – sie verschwenden nichts, höchstens mal einen Gedanken an ihre Rente, und schon setzt der Hang zum Sparen wieder ein. Sehr zum Ärger des zeitgenössischen Einzelhandels, aber dafür zur umso größeren Freude der Erben.

Zugegeben, einzelne Zeitgenossen übertreiben es mit der Sparsamkeit. Ihnen haftet dann zurecht der Makel der Knickerigkeit an, und sie müssen sich einen »Kniep(e)kopp«, »Knickerhannes«, »Knickebur« oder »Gizpin« (Geizhals) schimpfen lassen. Als ebenso trauriges wie abschrecken-

des Beispiel aus der jüngeren Vergangenheit darf hier das Verhalten des Friedrich Holtköker angeprangert werden. Der für seine Kniepig- wie Knötterigkeit bekannte Rentner hatte drei Gäste aus Bielefelds französischer Partnerstadt Concarneau bei sich aufgenommen – weniger aus Gastfreundschaft als vielmehr wegen der Aussicht auf kostengünstige Frankreich-Urlaube im Zuge späterer Gegeneinladungen. (Allein das zeigt, was für ein »kniepigen Käal« das ist!)
Holtköker deckte also den Tisch für das Mittagessen und platzierte dabei auch ein Stück Käse zwischen die Teller. »Oh, c'est très intéressant«, bemerkte einer der Bretonen, »in Frankreich servieren wir Käse immer am Schluss einer Mahlzeit.« Worauf Holtköker nur wortkarg brummelte: »Bi us ook!«.

Lektion 43

Schmacht, der

Bedeutung: *Hunger*

Anwendungsbeispiel: »Mein Maagn, der knuuat! Ich hab seit gesstan Mittach nix gegessen!« – »Warum denn bloß?« – »Heute Ahmd is doch Paaty bei Gürjen, und der schuldet mia noch fuffzich Euro. Mit dem Schmacht, den ich getz hab, hol ich mir die locker am Büffet wieder zurück!«

Mit »schmachten« bezeichneten die alten Germanen, wenn etwas an Umfang einbüßte, schwach wurde oder gar komplett verschwand. So konnte die Kampfkraft eines Römerheeres überraschend schnell schmachten, wenn dessen Marschroute durch den Teutoburger Wald verlief.

An Umfang verlieren, schwächeln und schwinden – in genau dieser Reihenfolge reagiert auch der Körper auf anhaltenden Essensentzug. Im Mittelalter ließen Missernten und Viehsterben die Lebensmittelversorgung zusammenbrechen, so dass »Schmacht« nun ausschließlich auf Hunger bezogen wurde: Wer nach Brot »schmachtete«, war schwer hungerleidend; jemand, der »schmächtig« war, sah nicht bloß etwas kleiner und dünner aus als seine Mitmenschen, sondern war lebensbedrohlich unterernährt.

Im 18. Jahrhundert wandelte sich die Bedeutung des Verbs »schmachten« erneut. Wurde bislang nur nach Brot geschmachtet, übertrug sich das sehnsuchtsvolle Verlangen nach Laiben auf das nach Leibern. Das schwärmerische »Anschmachten« als Ausdruck von unerfülltem Liebes-Hunger, auf Popkonzerten formvollendet von jungen Mädchen in der ersten Reihe dargeboten, gilt heute den halbnackten Sängern einer Boygroup.

Raucher verbinden mit »Schmacht« auch das Verlangen nach einer Zigarette. Ein Kettenraucher, der beschlossen hat, mit dem Qualmen aufzuhören, weil er wegen seines Glimmstengel-Konsums mittlerweile beim Husten die Straße teeren kann, bekommt spätestens in der zweiten Viertelstunde seines Entzuges »Lungenschmacht«.

Das Hauptwort »Schmacht« für »Hunger« kennt der aktuelle Duden nicht mehr. In Bielefeld ist es noch sehr verbreitet – offensichtlich gibt es selbst in der Oetkerstadt Menschen, die freiwillig Diät und deshalb nichts von Pudding und Pickert halten und auch die Wurstspezialitäten des Umlands verschmähen. Wer keine Schlachtplatten isst, muss sich vorwerfen lassen, dass er ein »Schmachtlappen« ist. Die Bielefelder Gourmets, die »Schmecklecker«, haben nämlich für solch selbstkasteiende Entsagungen kein Verständnis. Ihr Motto lautet: »Besser vor Bauch nicht liegen als vor Schmacht nicht schlafen können.«

Wenn aber trotz ständiger Nahrungszufuhr der Magen grummelt, dann mag die Liebe daran Schuld sein (bzw. auf Ostwestfälisch: »kann die Liebe das in Schuld sein«). Denn die Liebe geht nicht nur durch den Magen, sie kann auch auf denselbigen schlagen. Einen verliebten Jüngling inspirierte sein Liebeskummer einst zu folgendem berühmten Werk, das längst seinen Weg in den Hausschatz westfälischer Lyrik gefunden hat:

> *»Morgens zum Frühstück kann ich nichts essen,*
> *weil ich immerzu an Dich denke.*
> *Mittags bei Tische kann ich nichts essen,*
> *weil ich immerzu an Dich denke*
> *Abends zur Vesper kann ich nichts essen,*
> *weil ich immerzu an Dich denke.*
> *Nächtens im Bette kann ich nicht schlafen,*
> *weil ich dann so richtich deabe Schmacht hab.«*

schasskern und knülle

Bedeutung: *(sich be-)trinken / betrunken sein*

Anwendungsbeispiel: Zwei Heepener torkeln etwas beschwipst aus dem »Runkelkrug«. »Käar, ich bin ja schon leicht angeschickat, aber Du hast ja woll so richtich ein' geschasskert!« – »Habisch gaa nich. Isch bin voll … – lass mich ausredn – voll-ständich nüchtan.« – »Das denkst auch nua du! Wenn du nich so knülle wäars, dann hättess du getz noch so viel Vastand in'n Bregen, dass du mearken würdes, dass du total knülle biss!«

Im Wortschatz dieses Büchleins fallen zwei Vokabelgruppen auf, denen sich besonders viele Begriffe zuordnen lassen. Das erste Wortfeld beinhaltet regionaltypische Beleidigungen, Schmähungen und Spottworte. Das ist sehr praktisch, denn es ist immer ratsam, Schimpfwörter zu benutzen, die Richter und Staatsanwalt nicht kennen (vgl. Lektion 38). Selbst wenn Sie einmal wegen Beamtenbeleidigung angeklagt sein sollten (und solange die Stadt Knöllchen schreiben lässt, ist das ja nicht ganz auszuschließen), kommt Sie »Awelhans« wesentlich günstiger als manch anderes A-Wort.

Doch Vorsicht – nicht alle Bielefelder Beleidigungen sind zu empfehlen. Es gibt Äußerungen, mit denen Sie sich »däarbe Brass« (= Ärger – aber so richtigen) bis hin zu »Senge« (=Prügel, aber nicht nur »Kloppe«, sondern »Dresche«) einhandeln: Als schlimmste Ehrverletzung überhaupt gilt rund um die Sparrenburg der Satz »Mit dir geh ich nich schasskern – du vaträächs ja nix!«

Womit wir beim zweiten großen Wortfeld wären: dem geselligen Trinken. Zugegeben, mit der Oetker-Gruppe sitzt ein großer Brauerei-Konzern in Bielefeld, dem Marken wie Radeberger, Jever und DAB gehören. Dennoch hätte man erwarten können, dass sich im fleißigen Bielefeld besonders viele Vokabeln aus der Arbeitswelt, rund um Maschinen, Textilien und Baubedarf finden lassen. Aber flötepiepen – offensichtlich gilt hier die Redensart »Lieber vom Schasskern 'nen Bauch bekomm' als 'n Puckel vom Wullacken!«.

Und so sucht der Bielefelder die Kneipen der Altstadt auf, um ein Arminia-Spiel entweder zu feiern oder zu vergessen, um durch Getränke-Bestellungen die Gastronomen nicht verhungern zu lassen, um nach der Formel »drei Bier sind ein Essen« die Küche kalt lassen zu können oder welche Rechtfertigungen er sich auch immer dafür ausdenkt. An der Theke »schickert« und »schasskert« der Bielefelder, »pichelt« und »ballert« sich einen, bis er erst »dune«, dann »knülle« und schließlich »dudeldicke« ist. Auf jede Bestellung »Gib mich 'n Klaren!« folgt die Aufforderung »Tu mich 'n Kuazen!«

Am Ende haben die Duselköppe für ihr gesamtes Schasskermoos so viele Püllekes weggesüppelt, dass sie »chanz deabe ein' inne Hacken ham«.
Selbst wenn das alles über Nacht im Magen bleibt, spätestens am nächsten Morgen läutet (im wahrsten Sinne des Wortes) der Kopf den körpereigenen Rachefeldzug ein. Doch dazu mehr in unserer nächsten Lektion.

kodderich

Bedeutung: *sich unpässlich fühlen*

Anwendungsbeispiel: Straßengespräch auf dem Alten Markt: »Der VHS-Kuas ‚Experimentelles Kochen‘ waa ja nich schlecht, nua die Mettendkes mit Pflaumnmus-Füllung im Nougat-Mantel – da hätt ich doch nich mehr wie siehm Stück von essen solln. Getz is mir doch irndwie kodderich.«

In der letzten Lektion haben wir manch hochprozentige Vokabel gelernt. Doch Vorsicht! So widersprüchlich es klingt: Wer immer nur Klare trinkt, sieht schon bald nicht mehr durch. Wer zuviel Korn kippt, hat am Ende nur noch Stroh im Kopf. Wer ein Bier nach dem anderen pichelt, dessen Körper wird sich spätestens am nächsten Morgen für die Schwerstarbeit rächen, die man Leber und Magen während des Schützenfestes aufgebrummt hat.

Im besten Fall ist der am Vorabend so feierfreudige Ostwestfale dann nach dem Aufwachen einfach nur »’n bissken bedötscht« und fühlt sich »unsachte«, d.h. missbehaglich. Der beste Fall kommt aber nur selten vor – der wahrscheinlichere Fall ist, dass er sich erbärmlich, übel, elend, schwach und krank, wenn nicht todgeweiht fühlt.

Das sonst nie wahrgenommene Ticken seines Weckers wird ihm plötzlich zu einem ohrenzerreißenden Ramentern, das Läuten der weit entfernten Kirchenglocken macht paradoxerweise einen Höllenlärm, und jedes noch so leise Geräusch löst eine Schallwelle aus, als stünde der Spielmannszug der Dornberger Schützen in seinem Schlafzimmer und würde direkt neben dem Kopfkissen »Preußens Gloria« schmettern*. Der Raum kann noch so abgedunkelt sein – obwohl es schummerig ist, ist ihm selber »schwummerig« (auch: »plümerant« = schwindelig). Jede Gehirnwindung pocht und poltert und sein »Bregen« (= Hirn) tut weh. Ihm ist »bregenklöterig« (= er ist benommen) und er hat »Koppiene« (= Kopfpein = Kopfschmerzen). Im Magen ist ihm gehörig flau und er hat die »Lauferei«. Mit einem Wort: Er fühlt sich kodderig.

Es gibt weitere Vokabeln, mit denen sich in Bielefeld ausdrücken lässt, dass man sich hundeelend fühlt (was kurioserweise bei einem Kater der Fall ist), es kann einem nämlich auch »ködderich«, »klaterig«, »verkladert« oder »klöterig« zumute sein – nicht zu verwechseln mit »knötterig«! Merke: Wem klöterig ist, der ist schlecht dran; wer knötterig ist, der ist schlecht drauf (vgl. Lektion 16).

*) Wahlweise auch die Kinderrock-Band »Randale« mit ihrem »Lied von Olderdissen«, der Posaunenchor Bodelschwingh mit »Macht hoch die Tür« oder die legendären ZZZ Hacker mit ihrem Punk-Evergreen »Arminia 96 (Lalalalalaladeesszeharminia)«.

dröge

Bedeutung: *trocken, uninteressant*

Nachdem wir in den letzten Lektionen schon einiges über Tabakwaren und Alkohol gelernt haben, beginnen wir auch die heutige mit Drogen. Was in der hochdeutschen Sprache verloren geht, wird nämlich auf Bielefelderisch hörbar: dass das Wort »Droge« von »dröge« = »trocken« stammt.

Drogen sind Trockenwaren, getrocknete pflanzliche oder tierische Rohstoffe. Im Sinne von »Rauschgift« verwendet man »Droge« erst seit Mitte des 20. Jahrhunderts. Die ursprüngliche Bedeutung ist in den »Drogerien« erhalten geblieben, die noch vor hundert Jahren getrocknete Pflanzen als Heilmittel und Kosmetika verkauften. So recht passt diese Ladenbezeichnung also heute nicht mehr: Zwar bekommt man in einer Drogerie weiterhin Präparate gegen trockenen Husten und für trockene Haut, die Substanzen können aber inzwischen auch flüssig sein; man selbst muss es bei den Preisen sogar.

Im übertragenen Sinn wird in Bielefeld mit »dröge« eine Person beschrieben, die wenig Wert auf gesellige Treffen legt und von Mitmenschen als farbloser Langeweiler empfunden wird: »Der Otto, der macht sein Mund auch nua zum Essen auf. Das is villeicht 'n drögen Käal!«

Ein schöner Dialog, in dem »dröge« im eigentlichen Sinne vorkommt, nämlich als Ersatzwort für »trocken«, ereignete sich im besonders heißen Sommer 1905 auf dem Bielefelder Bahnhof (zugegeben, schriftlich überliefert ist der genaue

Wortlaut nicht, aber andererseits steht auch nirgendwo geschrieben, dass sich die Begebenheit nicht so abgespielt hat).

Die Königlich Preußische Eisenbahn-Verwaltung hat eine Anordnung für alle Stationen entlang der Köln-Mindener Eisenbahn erlassen. Die Billetschalter (das ist das, was man vor einigen Jahren »Fahrkartenausgabe« nannte und was heute bei der Bahn »Ticket Counter Service Point« oder so ähnlich heißt) sind mit einem Anfeuchter auszustatten, bestehend aus einem Schwämmchen in einer kleinen Holzschale. Was aus heutiger Sicht nicht wirklich sensationell klingt, ist damals für viele Fahrgäste eine Überraschung.

Auch Landwirt Johanngreve ist bass erstaunt, als der Stationsassistent auf seine Fahrkartenbestellung hin erst den trockenen Daumen auf den Schwamm drückt und dann das Ticket vom Block reißt. Seine Reaktion »Was issen das nu schon wieder füan Kroppzeuch!« macht deutlich, dass er diese (wie alle) Neuerungen für überflüssig erachtet und erwägt, die offensichtliche Geldverschwendung dem Bund der Steuerzahler zu melden, sobald dieser gegründet ist.

»Das is kein Kroppzeuch«, klärt ihn der Beamte auf, »das is getz Voaschrift wegen der Hügjene. So muss unsereins die Finger nich mehr anlecken und kricht den Billjetblock doch gut duarchgeblättat.« – »Awatt!«, zeigt sich Johanngreve keineswegs überzeugt, »das taucht doch nix. Bei der Bullenhitze is das Ding doch butz wieder dröge.« Worauf der Kartenverkäufer trocken (wie auch sonst?) erwidert: »Ehm nich. Ich spuck da ein, zwei Mal moagens drauf, und das hat noch gedes Mal bis ahmds gereicht.«

Zossen, der

Bedeutung: *Pferd (abwertend)*

Die Ostwestfalen sind die Mongolen Deutschlands. Beide Volksgruppen haben gelernt, in Wüsten zu leben – die einen in der Gobi, die anderen in der Bielefelder City – und beide sind Reitervölker. Speziell die Bielefelder mögen Pferde. Mehr als 600 gemeldete Reiter, Straßennamen wie beispielsweise Reiter-, Hufeisen-, Hufschmiede- und Sattlerweg sowie nicht zuletzt die anhaltende Beliebtheit der 1929 gegründeten Pferdemetzgerei Mecke & Raabe sprechen eine deutliche Sprache.

Umso erstaunlicher ist es, dass es in Bielefeld das Wort »Pferd« genau genommen gar nicht gibt. Was es gibt, sind die Versuche der Bielefelder, das Wort »Pferd« auszusprechen. Heraus kommt dabei »Fäad« – ohne »P« und ohne »r«. Vollständig spricht der Bielefelder hingegen den »Zossen« aus. Er benennt damit ein eher altes Pferd und benutzt dafür ein eher altes Wort: Zossen kommt vom hebräischen »sus«, aus dem sich das jiddische »zusse« entwickelte und das – welch Überraschung – Pferd bedeutet.

Allerdings ist nicht jedes Pferd ein Zossen. Ein edler Zuchthengst aus dem Gestüt Ebbesloh* würde von seinem Besitzer nie als Zossen bezeichnet werden, sondern als Geldanlage. Ein Zossen hingegen ist ein Pferd, mit dem man keine großen Sprünge mehr machen kann – ein lahmer Ackergaul

---

**) eines der renommiertesten Vollblut-Gestüte in Deutschland, 1926 vom Oetker-Chef Richard Kaselowsky gegründet*

oder eine alte Schindmähre. Die Bielefelder Viehhändler schauen halt darauf, was so ein Tier noch abwerfen kann – wenn das nur noch etwas für die Düngung des Gemüsebeetes, aber nichts mehr fürs Konto ist, gilt das Pferd als Zossen.

Vielleicht standen Zossen aber bei der Namensgebung für Pumpernickel Pate, das schwarze Brot der Bielefelder. Warum der Pumpernickel Pumpernickel heißt, darüber gibt es nämlich viele Versionen. Die schönste, wenngleich nicht wahrscheinlichste, geht auf das Jahr 1806 zurück, als die Soldaten des napoleonischen Heeres gegen Preußen ins Feld zogen und so in unseren Gefilden das Brot aus Roggenschrot und Rübenkraut kennenlernten. Nun gelten Franzosen ja allgemein als »Schmecklecker«, so die ostwestfälische Bezeichnung für einen Gourmet. Doch dieses Vorurteil widerlegten die Soldaten: Sie waren von dem Schwarzbrot alles andere als begeistert, ja, als Croissant- und Baguette-Liebhaber fanden sie es sogar an der Grenze zur Ungenießbarkeit.

Ihrer Meinung nach war das Brot »bon pour Nickel«, d.h. allenfalls gut genug für Pferde – »Nickel« war in Anlehnung an die Farbe des Metalls ein häufig vorkommender Name bei Pferden mit weißgrauem Fell. Und so mag eine ostwestfälische Spezialität, der Pumpernickel, seinen Namen abgemagerten, vom Frontdienst gezeichneten alten Zossen verdanken.

Gesocks, das

Bedeutung: *Gesindel, Pöbel, Pack – in jedem Fall eine gesellschaftliche Herabsetzung*

Während die meisten Bielefelder Schimpfwörter nicht wirklich böse sind und oft einen fast liebevollen Unterton besitzen (vgl. zum wiederholten Mal Lektion 38), ist die Beleidigung »Gesocks« durchaus als grobe Ehrverletzung zu werten. Gesocks, das ist der Plebs, der dritte Stand, die Unterschicht, das Allerletzte. *Dazu* möchte nun wirklich niemand gehören.

Seinen schönsten Einsatz fand der Begriff anlässlich der Märzrevolution 1848 im benachbarten Gütersloh, das wir im Rahmen unseres Bielefeld-Sprachkurses einfach mal als Vorort ansehen. Anders als Bielefeld, das am Hof in Berlin als »Demokratennest« verrufen war, stieß im königstreuen Gütersloh die Revolution auf herzlich wenig Interesse. Ja, viele Gütersloher Bürger wollten eine Revolution sogar unbedingt verhindern. Während also überall in Preußen die Liberalen für mehr Bürgerrechte kämpften, gingen in Gütersloh die Konservativen auf die Straße – quasi zur Revolutionsvorbeugung.

Am Nachmittag des 13. März 1848 verwüsteten sie prophylaktisch das Gesellschaftsheim der Liberalen und warfen mit Steinen die Fenster einiger liberaler Stadtverordneter ein. Das war klug gedacht: Wer mit der Reparatur seines Hauses beschäftigt ist, findet erst gar nicht die Zeit, um für eine neue Verfassung zu demonstrieren.

Doch wer im Namen des Königs für »Ruhe und Ordnung« sorgen will, gibt ein schlechtes Bild ab, wenn er dabei laut krakeelend und Steine schmeißend durchs Dorf marschiert. Deshalb war die ganze Sache auch einigen konservativen Köpfen ausgesprochen unangenehm, darunter dem protestantischen Pfarrer Friedrich Greve und dem Wiedenbrücker Landrat Trzebiatowski. Pfarrer Greve eilte also zu dem pöbelnden Mob, lobte ihn ausdrücklich für seine antiliberale Gesinnung, rügte aber die Gewaltanwendung und bat seine Schäfchen, nach Hause zu gehen. Was passierte? Tatsächlich gingen alle königstreuen Randalierer nach Hause – aber nur, weil ihnen die Steine ausgegangen waren. Am Abend versammelten sie sich mit neuen Steinen sowie mit Messern, Keulen und Fackeln bewaffnet erneut am Kirchplatz.

Landrat Trzebiatowski löste das Problem auf seine Weise. Er trat der Meute entgegen und verkündete: »Unser guter König Friedrich Wilhelm ist besorgt über Meldungen, dass sich im Land der Pöbel gegen Gott und Vaterland erhebe. Ich habe deshalb allerhöchste Anordnung, die Straßen dieser Stadt vom Gesocks zu befreien, und möchte zuvor alle anständigen und ehrbaren Bürger bitten, die Straße frei zu machen, damit niemand von ihnen zu Schaden komme.« Und weil, wie gesagt, niemand auch nur in den Verdacht geraten will, zum Gesocks zu gehören, traten alle brav zur Seite, so dass die Märzrevolution in Gütersloh auf diese Weise zwar ohne Revolution, aber doch wenigstens friedlich endete.

Gepattkerter, der

Bedeutung: *(meist alkoholisches) Mischgetränk*

Der alte Wilhelm Upmeier, gebürtig aus Brackwede, das war noch einer, der Dönekes erzählen konnte. Mit Sicherheit war die Hälfte seiner angeblichen Erlebnisse frei erfunden, und die andere Hälfte so nie passiert. Aber die Wahrheit ist immer, was man anderen glaubhaft machen kann. Und Upmeier konnte die unglaublichsten Geschichten erzählen ohne rot zu werden, was seine Freunde neidlos anerkennen mussten (»Der Willi, der konnt die dollsten Dinger vertelln, ohne 'n Ballong zu kriegn!«).

Nach seinen Schilderungen war er in Personalunion Robin Hood (»Der Willi, der hat den Beamten im Finanzamt aber imma so richtich Kabitt gegehm!«), Casanova (»Der Willi, das waa aber auch son richtigen alten Schluffen waa das aber auch!«) und Daniel Düsentrieb (»Der Willi, der war immer was am Rumklamüsan.«). So gilt er auch als Erfinder des »Quirkendörper Gepattkerten«, ein im übertragenen wie wahrsten Sinne »umwerfendes« Mixgetränk, und das kam nach seinen eigenen Worten so:

»Da war'n wir doch von unsere Skatrunde eintach mitt'n Rädkes unterwechs gewesen, so mittenmang duach die Bauern. Natüalich ohne unsere Frauen, das chanze sollt ja ne Veagnügungstour wäan. Doch als mittenmal Ahmd wuade, hatten wir uns verdorrichnocheins verfahrn. Wir sind ne halbe Ewichkeit duachs Gelände gejuckelt, ohne dass wir wen zu packen gekricht hätten, den wir nachem Weech hätten fragen könn. Wir sind so weit gefahn, dass ich mir schon überleecht hab, ob die nächsten Menschen, die wir treffen, wohl eher Chinesen oder Eskimos sind.

Das eigentliche Problem aber waa ja, dass wir von der Gurkerei alle so richtich deabe Schmacht bekomm' hatten. Aber was willste machen, unser Proviant war ratzeputz alle. Man gut, dass wir genuch zu schasskern mitgenomm' hatten. Da war das dann mit dem Schmacht nich mehr sso schlimm. Junge, Junge, was ham wir da rumgepattkert – die famosesten Mischungen ham wir erfunden, allerbest! Wir ham Hearfoader mit Padaboaner gemixt, und Obstwasser mit Frühstückskoan, du ahnzes nich! Aber dann hab ja doch schließlich *ich* das Rezept füa den besten Gepattkerten alla Zeiten gefunden. Was füan Zeuch – da fängt 'ne tote Kuh wieder an zu kalben, wenn du da nua ihren Stert drin einstippst!«

Worauf Upmeier stets genüsslich eine Pause setzte, um seiner Zuhörerschaft Gelegenheit zu geben, ungeduldig nach den Zutaten zu fragen, damit er schließlich das Geheimnis des ultimativen Cocktails lüften konnte. Erst nach der gespannten Frage »Und wodraus besteht dein Gepattkerter?« gab Upmeier das einzigartige Mischungsverhältnis preis: »Aus *drei* Viertel Schroeders Boonekamp und *zwei* Viertel Steinhäger!«

massich

Bedeutung: *reichlich, eine Menge*

Anwendungsbeispiele: Lästerei im Pappelkrug: »Steckenbrinks, die habbich ja gefressen. Der olle Stoffel und sein Puselchen, wenn die 'n Mund auftun, kommt nur Stuss raus. Die ham beide keine Ahnung von nix, aber davon massich!«

»Massich« gehört zu den Bielefelder Maßeinheiten. Es ist das Gegenteil von »nuarnganzpa« (Beispiel Fußball: »Wenn Fichte gegen Arminia kickt, sind anna Rußheide immer massich Zuschauer, aber gegen Preußen Espelkamp komm' nuarnganzpa.«) bzw. von »kein bissken« (»Auf'm Alten Maakt is immer massich was los, auf'm Neumaakt kein bissken«).

Hier ein szenisches Beispiel zur korrekten Verwendung des Wortes: Besagte Steckenbrinks geraten beim gemeinsamen Fernsehabend in den (für ein Publikum im pietistisch-ländlichen Bereich reichlich gewagten) Spätfilm »Stürmische Liebschaften«. Ihre anfängliche Überraschung weicht gespannter Anteilnahme am amourösen Gebaren der Hollywood-Akteure. Speziell Irmgard Steckenbrink fühlt plötzlich das Feuer der Leidenschaft in sich lodern, welches ihr Mann, der sich als langjähriger Schlauchwart der Freiwilligen Feuerwehr Niederdornberg ganz der Brandbekämpfung verschrieben hat, in den letzten Ehejahren bzw. -jahrzehnten partout nicht mehr entzünden wollte.

Sie findet die handlungsarmen Szenen durchaus bildungsreich für ihren Gatten: »Kumma, Heinz, die beiden ham sonn

Krösken zusamm. Und getz kumma, was der sich mit ihr hat, Heinz, der is sie ständich am knuddeln. Das is son richtig Schmuserigen. Von dem Käal, da könnze dir ruich ma was von annehm!« Worauf Heinz Steckenbrink seiner Frau zu bedenken gibt: »Da muss du aber auch bei berücksichtigen, was der da massich Moos füa kricht!«

Rüentiarger, der

Bedeutung: *Posaune*

Anwendungsbeispiel: »Ausgerechnet Sundermanns Sohn, der ja so 'n langen schlacksigen ist, maschiät getz inne Kapelle vonne Schützen mit. Wenn der beim Umzuch sein Rüentiarger bläst, dann heißt es aber ,Kopp einziehn!'«

Ostwestfalen wird ja gemeinhin unterschätzt. Wer weiß schon, dass hier die Wiege der protestantischen Posaunenchorarbeit in Deutschland stand? Niemand weiß es, zumal protestantische Posaunenchöre von den blasierten Musikredakteuren bei MTV und EinsLive grundlos ignoriert werden und sich deshalb Posaunenstücke nur selten in den Top-Ten der deutschen Charts platzieren. Katholischen Klarinettenkombos ergeht es mit ihren Single-Auskopplungen allerdings nicht besser.

Jedenfalls war es Johannes Kuhlo, Anstaltspfarrer in Bethel, der hierzulande 1875 – die älteren Leser werden sich erinnern – den ersten protestantischen Posaunenchor Deutschlands ins Leben rief, weshalb der später als »Posaunengeneral« bekannt gewordene Kuhlo (zumindest wurde er unter Mitgliedern protestantischer Posaunenchöre als solcher bekannt) völlig zu Recht als Vater des deutschen Posaunenchorwesens, zumindest des protestantischen Teils davon, gilt. Die in Bethel ausgebildeten Diakone ließ Kuhlo Blasinstrumente spielen und erreichte so eine flächendeckende Verbreitung der Posaunenmusik in allen Gemeinden des Landes. Diesen Absatz aus dem Handbuch des unnützen Wissens müssen Sie sich nicht merken. Er führt uns aber direkt zum Gegenstand unserer Lektion: der Posaune.

Nicht grundlos hatte sich Kuhlo für seine musikalische Missionsarbeit die Posaune ausgesucht. Das Instrument ist einfach göttlich – der Mensch bläst hinein, aber nur Gott allein weiß, was heraus kommt. Besonders kurios an der Posaune sind neben ihrem Klang (und neben ihrem Aussehen – und neben ihrem Namen) der Posaunist bzw. genauer: die Bewegungen, die der Posaunist beim Posaunen macht. Zumal dann, wenn er Mitglied eines Spielmannszuges ist und sein Instrument im zügigen Gleichschritt blasen muss.

Bei den Musikliebhabern unter den Festmarsch-Zuschauern verschafft sich der Posaunist mit dem gekonnten Vor- und Zurückschieben der Zugvorrichtung großen Respekt. Doch es gibt auch ein spezielles Publikum, das sich von der Kombination aus eigentümlichen Bewegungen und Tönen vielleicht bedroht, zumindest aber provoziert fühlt: Hunde – oder Rüen, wie alteingesessene Ostwestfalen sagen. In den Tagen, als Bielefeld noch fast autofrei war und es selbst in der Innenstadt viele freilaufende Hunde gab, war deshalb ein Posaunist quasi der Postbote unter den Musikern und bei einem Umzug stets von kläffenden Vierbeinern umzingelt. Sein Instrument nannte man daher Rüentiarger = »Hundeärger(er)«.

Übrigens gibt es noch einen zweiten plattdeutschen Ausdruck für die Zugposaune: »Kinnerwartju«, zu übersetzen etwa mit »Kinder, nehmt euch in Acht!« Schließlich waren – und sind! – die kleinen Zuschauer besonders gefährdet, wenn bei einem Umzug die Posaunen in Kopfhöhe eines Fünfjährigen hin- und hergeschwenkt werden. Da jedoch der Ausdruck »Kinnerwartju« die Posaune geradezu dämonisiert und damit den Gedanken der musikalischen Früherziehung unterwandert, empfehlen wir sprachbewussten Eltern, beim Begriff des »Rüentiargers« zu bleiben.

tüddelig

Bedeutung: *zerstreut, verwirrt, vergesslich, schusselig*

Anwendungsbeispiel: Kaffeetrinken bei Großvater Roggenkuhl im Kreise der Familie. Enkel Marius flüstert seiner neuen Freundin zu: »Unser Oppa, der iss ja schon so beie fümmunsippzich und wiad getz doch langsam tüddelich in Kopp. Der veagisst immer alles!« Darauf der Gastgeber: »Das habbich gehöat! Euer Gerede ist völliger Tüddelkram. Dir sollten se mal den Bregen enttüddeln. Und apropos veagessen: Deinen Erbteil, den kannze veagessen!«

Im norddeutschen Raum kennt man »Tüddelband« (von »tüddeln« = wickeln, binden) als Bezeichnung für Paketband oder auch für Bindfaden. Kinder, vornehmlich »Deerns«, können mit dem Tüddelband »Abnehmen« spielen: Ein Kind flicht mit dem Faden ein komplexes Muster zwischen die gespreizten Finger, ein anderes muss versuchen, dieses Fadengewühl auf seine Finger zu übernehmen. Auch wenn der Begriff Tüddelband hierzulande nicht gebräuchlich ist – dass man sich bei dieser feinmotorisch anspruchsvollen, äußerst friemeligen Aufgabe leicht vertüddeln kann, dass verstehen auch westfälische Wonneproppen.

Vertüddeln heißt also, etwas durcheinander geraten lassen. Wenn das den eigenen Verstand betrifft, ist man »tüddelig« (oder auch »in Tödder«). Der Tüddelichkeitsgrad reicht dabei vom Unausgeschlafensein (»Moagens nachem Aufstehen bin ich immer east noch son bissken tüddelich.«) bis zur Alzheimer-Erkrankung (»Du ahnz ja nich, wer so tüddelich gewoaden is, dass er sich an nix und nieman'n mehr erinnern kann! Und zwar is das der Dingens ... äh, der ... getz fällt mia doch der Name vermuckt nich ein ...«).

Großvater Roggenkuhl hingegen ist weder schwerhörig noch durcheinander, auch wenn die Familie ihm das hartnäckig unterstellt. Nur was Herz und Kreislauf betrifft, da geht es dem Mann, der die letzten Monate doch recht kröckelig unterwegs war und schon arg tünerig aussah, gar nicht gut. Schlimmer noch. An seinem Bett stehen sein Sohn, der Arzt und der Pastor, und alle haben berechtigte Sorge, ob Roggenkuhl senior nicht doch »die Döppen dicht macht«, wie es Enkel Marius in unangebrachter Flapsigkeit ausdrückt.

Doch noch ist es nicht soweit. Im Gegenteil, Roggenkuhl öffnet, auch wenn ihm das sichtlich Mühe bereitet, die Augen. Quälend langsam, Wort für Wort, krechzt er leise: »Johann, mein Sohn ... Ich bin nich mehr lange ... Sieh du bloß zu, ... dass du die 500 Euro von Schulte-Reckhaus wiederkriss, ... die ich ihm geliehn hab.« Johann Roggenkuhl ist gerührt: »Vadda, dass Du selbs in diesem Augenblick so treusoargend an mich denkst ...«

»Da man nich für ...«, spricht der Alte weiter, »mit den 500 Euro gehs du dann zum aulen Meyer zu Howe hin ... dem schulde ich die nämmich noch.« Worauf sich sein Sohn gedankenschnell dem Arzt zuwendet: »Herr Doktor, isses nich fuarchtbar? Eben wara völlich klar in Kopp, und getz issa wieder total tüddelich!«

Püfferken, das

Bedeutung: *westfälische Teigspezialität*

Anwendungsbeispiel: »Nä, was is mir kodderich. Ich glaube, eines von den zwanzich Püfferkes waa schlecht ...«

Püfferkes gehören neben Pickert und Pumpernickel zu den Leibspeisen des Ostwestfalen. Die handtellergroßen und fingerdicken Teigfladen sind schnell zubereitet: Man nehme eine Fertigmischung Dr. Oetker »Püfferchen« und lese die Rückseite der Packung. Die traditionelle Zubereitung ist etwas aufwändiger: Man nehme neben Mehl und Eiern ein Händken voll Salz, einen Klott Hefe, einen Stritz Milch, so 'n Itzken Zucker und ein paar Rosinen – ruhig auch 'nen Tacken mehr davon. Nun die Zutaten zu einem weichen Teig vermengen, portionsweise in die Pfanne geben und dann das Ganze auf den Kompost schütten, weil wir vergessen haben, die Hefe gehen zu lassen. Beim zweiten Versuch Backpulver statt Hefe verwenden, die Püfferkes in der Pfanne goldgelb braten und warm mit einem Stücksken Butter bestrichen servieren – allerbest!

Besonders beliebt waren und sind Püfferchen als Beilage zum Nachmittagskaffee. Als solche spielen sie auch die Hauptrolle in folgender Anekdote aus dem Jahre 1901. In diesem Jahr beginnt nämlich Gustav Wilmking mit der serienmäßigen Herstellung von Mausefallen Marke »Luchs«. Damit legt er den Grundstein dafür, dass aus seiner Schlosserei innerhalb von zwanzig Jahren die, laut seiner Werbung, »größte Spezialfabrik der Welt für Mausefallen, Rattenfallen und Feder-Wäscheklammern« wurde. Im Jahre 1901 jedoch sucht er noch nach einem fähigen Verkaufstalent, dem »voare Aabeit nich bange is« und der sein zweifellos nützliches Produkt an den Mann, an die Frau und am besten an beide bringen soll.

Es bewirbt sich Fritz Kölkebeck aus Ummeln, der zwar einen soliden, seriösen Eindruck macht, allerdings noch nie als Handlungsreisender gearbeitet hat. Wilmking will es dennoch mit ihm versuchen und erklärt dem jungen Mann seine Aufgabe: »Pass up, du nimms dir getz diesen Bollerwagen mit den Päcksken voller Mausefallen und gehs damit nach Braakwede – da waa nämmich bisher noch keiner von unsere Fiama. Wenn du dann gegen Mittach da biss, kearsse earsmal iagendwo ein, bestells dir 'n paar Püfferkes zur Stäakung und machs dich dann anne Aabeit. Dann klopfst du an gede Tüa, stellst earst dich und dann die Mausefallen voa und nach Möchlichkeit vakaufst du dann in gedem Haus eine Mausefalle – es soll bis zum Ahmd keinen Quiakendöarper mehr ohne gehm. Denn ma tau!«

Als Kölkebeck am Abend aus Brackwede zurückkehrt, ist er vollkommen erschöpft (»völlich fäatich«), sein Bollerwagen jedoch noch genauso randvoll mit Mausefallen wie zu Arbeitsbeginn. Wilmking will natürlich den Grund für den miserablen Verkaufserfolg wissen und Kölkebeck erklärt: »Ja wissen Se, Herr Wilmking, so wie Sie sich das voastellen und mir das erkläat ham, so funkzunieat das nich. Ich bin wiaklich duach den ganzen Oart und wieder zurück gelaufen, ich hab mir echt die Hacken abgerannt, aber glaum Se mir, in ganz Braakwede waa nich ein einziges Püfferken zu bekomm.«

schucken

Bedeutung: *(be)zahlen*

Anwendungsbeispiel: Der Wirt besteht darauf, dass Meyer zu Bentrup sein Bier vor dem Ausschenken bezahlt. »Erst schucken, dann schlucken! Du hass selbs gesacht, du trinkst, um zu vagessen. Na also, wer trinkt, um zu vagessen, der muss bei mir im voraus schucken!«

Einige der Bielefelder Begriffe aus unserem Kurs finden sich auch in der Geheimsprache »Masematte«. Dieser Jargon kam ab 1890 bei sozialen Randgruppen im Münsterland auf. Tagelöhner, Schausteller, fliegende Händler und Hausierer, aber auch Gauner und Kleinkriminelle benutzten Begriffe, die aus dem Jiddischen, dem Romani und der Gaunersprache Rotwelsch stammten. Der Sprachcode sollte die geschäftlichen Gespräche in der bürgerlichen Öffentlichkeit abhörsicher machen. Für alles, was verboten oder anrüchig war, fanden die Schlitzohren Ausdrücke, die außerhalb ihrer Zunft niemand verstand. Ein heute noch gebräuchlicher Begriff aus der Kategorie Verbotenes ist »vermackeln« für »Sachbeschädigung begehen«. Ein Beispiel aus der Kategorie Anrüchiges sind die »Mauken« für Stinkefüße ...

In den Seitengassen und Hinterhöfen wurden damals Geschäfte in »Schuck« abgewickelt – so der jiddische Ausdruck für die »Mark«. Wer sein Geld unbedingt loswerden wollte, konnte schucken – nämlich (illegalerweise) um Geld spielen. Oder einfach gleich zahlen, weshalb das Verb auch für das Begleichen einer Rechnung verwendet wurde.

Zugegeben, der Begriff ist heute nicht mehr allzu verbreitet, aber es ist gut, ihn und seine Hintergründe zu kennen, um folgende Begebenheit aus der Bielefelder Halbwelt um 1900 verstehen zu können. Zu dieser Zeit lebte nämlich der übel beleumundete Hans Johanntemme in einem heruntergekommenen Kotten in Sieker. So manchen Tag hatte er bereits in Bürgergewahrsam verbracht, weil er in einigen minderschweren Fällen Gekauftes nicht sogleich bezahlt hatte (um mal das Wort Diebstahl zu vermeiden), und auch so manche Nacht, weil er nach Sperrstunde regelmäßig, vom Branntwein dudeldicke, unanständige Lieder grölend durch die Straßen und der Nachtschutzmann ihn daraufhin ebenso regelmäßig aus dem Verkehr zog.

Da er die alternative Geldstrafe nie aufbringen konnte, hatte Johanntemme im Lauf der Zeit jede Zelle im 1875 erbauten Gefängnis an der Gerichtsstraße von innen gesehen. Gegenüber einem Polizeiwachtmeister äußerte er sogar einmal – und meinte das durchaus ernst –, dass die Zellen im Vergleich zu seinem Zimmer ähnlich sparsam eingerichtet, dafür aber trocken und warm seien. Was ihm wegen Verhöhnung der Obrigkeit einen weiteren Tag in Gewahrsam einbrachte.

Nun sammelte 1901 ein Bürgerkomitee Spenden für den Bau eines Stadttheaters (das am 3. April 1904 tatsächlich mit der Aufführung von Friedrich Schillers »Die Jungfrau von Orléans« eingeweiht werden konnte). Als die Liste mit den zugesagten Spenden zurückkam, staunte der alte Dürkopp, seines Zeichens Vorsitzender des Komitees, nicht schlecht. Ausgerechnet Taugenichts Hans Johanntemme hatte sich mit 75 Mark darin eingetragen – eine unerhört hohe Summe. Schon mit schlechter Vorahnung eilte er zu Johanntemme, um das Geld sogleich einzutreiben. »Ich bin hier, um deine zugesagte Spende zu kassieren!«, kam er sofort zur Sache. »Und ich bin schon jetzt gespannt, wie du einen solchen Betrag bezahlen willst.« Worauf Johanntemme antwortete: »Wat, betahlen? Nä, nä, von schucken waa nie die Rede – ich will dat affsitten!«.

chut chon / chut chen

Bedeutung: *Abschiedsgruß, wörtlich »gut gehen« = »Möge es Ihnen gut gehen!« = »Alles Gute und auf Wiedersehen!«* (gesprochen mit hartem »ch« wie in »Bach«)

Anwendungsbeispiel: »So, lieber Leser, ich bin denn da duach mit dem Buch hier. Ich hoffe, ich hab Sie oadentlich was geläant und Sie haben sich ab und an 'n bissken beömmeln könn'. Wenn Sie nich sonnen ganz Tranklötigen sind und immer fleißich ühm, könn' Sie mittezeit quatern, quasseln und quengeln wie 'n Hiesigen. Ich bin sicher, bei Ihnen läuft das wie 'n Dittken und es ist längst alles inne Fissen. Dann kann ich ja sobutz den Erweiterungswoatschatz zusamm'stelln. Also, denn ma' bis die Tage und chut chen!«

Vokabelverzeichnis

Wörterbuch
Bielefelderisch – Hochdeutsch

Vokabelverzeichnis / Wörterbuch Bielefelderisch – Hochdeutsch

allerbest	optimal, klasse, famos	*Lektionen 49, 53*
alle sein	verbraucht sein	*Lektionen 48, 49*
angeschickert	noch nicht betrunken, aber schon lustig (vor allem für die Umstehenden)	*Lektionen 24, 44*
Ärgerpohl	Nervensäge	*Lektionen 30, 38*
aul	alt	*Lektionen 16, 17, 18, 52*
Awatt!	»Ach was!« im Sinne von »So ein Unsinn!«	*Lektion 46*
Awelhans	von »übler Hans(wurst)« = Kasper, Nichtsnutz, Dummkopf	*Lektionen 38, 44*
ballern	hier: zechen, sonst auch: schießen (z.B. auf dem Bolzplatz) oder knallen (z.B. mit Zisselmännken)	*Lektion 44*
Ballong	blutdurchströmter = knallroter Kopf	*Lektion 49*
Bauern, inne	weit raus, auf dem Land	*LEKTION 13, Lektion 49*
bedötscht	benommen, angeschlagen, duselig	*Lektion 45*
Bengel	Frechdachs, Lausejunge, Lümmel	*Lektion 20*
beömmeln, sich	sich amüsieren, erheitert sein	*Lektion 55*
Blag	nervender Nachwuchs	*LEKTION 20, Lektion 33*
Bollen	(Ober-)Schenkel	*LEKTION 27, Lektion 28*
Bollerbuxe	zu weit geschnittene Hose	*Lektion 27*
bollerich	unförmig, zu weit geschnitten / schroff, ungehobelt	*LEKTION 27, Lektion 2*
Bollerkopp	unangenehm lauter Zeitgenosse	*Lektion 35*
Bollerwagen	Handwagen	*LEKTION 28, Lektion 53*
Bolzplatz	Fußballplatz	*Lektion 33*
Bömmsken	Bonbon	*Lektion 51*
Brass	Ärger, Stress	*Lektionen 20, 44*
Bratskartoffeln	die eigentlich korrekte Bezeichnung für Bratkartoffeln	*Lektion 7*
Bregen	Hirn, Schädel, Kopf	*Lektionen 45, 52*
bregenklöterich	benommen, schwindelig, verwirrt	*Lektion 45*
bullenheiß	sehr, sehr heiß (geradezu unerträglich)	*LEKTION 40, Lektion 46*
bullern	Wärme abstrahlen, auch: stark Brodeln	*Lektion 42*

butz	sofort, auf der Stelle, schnell .... *Lektionen 46, 55*
Butze	ursprünglich: Schrankbett, heute: kleine Wohnung .... *Lektion 12*
Buxe	Hose .... *LEKTION 2, Lektionen 27, 39*
chut chen / chut chon	Abschiedsgruß .... *LEKTION 55*
Da(h)lschlach	(Nieder-)Schlag (der einen trifft) .... *Lektion 19*
Dämelack	Dummkopf .... *Lektionen 25, 30, 38*
dearbe	sehr, stark, sehr stark (wirkt verstärkend aufs nachfolgende Wort) ...... *Lektionen 17, 25, 33, 43, 44*
Dittken, läuft wie'n ~	läuft wie geschmiert .... *Lektion 55*
döppen	(1) jemanden bzw. etwas unter Wasser tauchen (2) pulen .... *LEKTION 30*
Döppen	Augen .... *LEKTION 30*
Döppen, die ~ dichtmachen	schlafen, sterben .... *Lektionen 30, 52*
Dön(e)kes	Anekdoten, heitere Kurzgeschichten, oft von zweifelhaftem Wahrheitsgehalt siehe die Dönekes in diesem Buch) ... *Lektionen 15, 49*
dösich	dumm .... *Lektion 34*
Döskopp	Dummkopf .... *Lektionen 34, 38*
Drämelei	Trödelei .... *Lektion 14*
drämeln	trödeln, klüngeln, bummeln .... *Lektion 14*
drämelich	langsam, trödelnd .... *Lektion 23*
Drämelpott	jemand, der sich Zeit lässt; Phlegmatiker .... *LEKTION 14, Lektionen 17, 23*
dröge	trocken, auch: uninteressant .... *LEKTION 46*
Drömmeligkeit	die Kunst, keinen Stress zu kennen .... *Lektion 14*
drömeln	trödeln, klüngeln, bummeln .... *Lektion 14*
drömmelich	langsam, trödelnd .... *Lektion 14*
dröppeln	leicht regnen .... *Lektion 11*
dudeldicke	sternhagelvoll .... *Lektionen 44, 54*
dune	angeheitert bis mittelstark alkoholisiert ...... *Lektion 44*
Düppe	Essensbehälter, Topf, Schüssel .... *LEKTION 19*
durch sein	fertig sein, sich auf den Heimweg machen .... *Lektionen 5, 55*

Duselkopp	Trunkenbold	*Lektion 44*
Dutten, inne	reif für den Müll, kaputt	*Lektionen 21, 40*
enttüddeln	entwirren, entflechten, in Ordnung bringen	*Lektion 52*
Falle	beliebter Aufenthaltsort des Drämelpotts: das Bett	*LEKTION 12, Lektionen 30, 36*
fisseln	leicht regnen	*Lektion 11*
Fissen, inne	in Ordnung	*Lektion 55*
flättich	ungepflegt, abgenutzt, verschmutzt	*Lektion 37*
flötepiepen	typischer Fall von denkste, vonwegen, hast du gedacht	*Lektion 44*
friemelich	feinmotorisch anspruchsvoll	*Lektionen 30, 32*
friemeln	zurechtpuzzeln	*LEKTION 32, Lektion 42*
Gepattkerter	Mischgetränk	*LEKTION 49*
Gesocks	Gesindel	*LEKTION 48, Lektion 38*
Gizpin	Geizhals	*Lektion 42*
Gurkerei	planloses, zeitfressendes Umherfahren	*Lektion 49*
Hacken	Fersen	*Lektion 53*
Hacken, einen inne ~ haben	be- bzw. volltrunken sein	*Lektion 44*
Henkelmann	tragbarer Essensbehälter	*LEKTION 19*
Hibbelkopp	Hektiker	*Lektion 23*
Huckel	syn. Huppel, Gegenteil von Kuhle	*Lektion 37*
inne Bauern	weit raus, auf dem Land	*LEKTION 13*
Itzken	Maßeinheit, entspricht etwa einem Stücksken	*Lektionen 10, 53*
juckeln	mit geringem Tempo fahren	*Lektion 49*
Jürmke	Jöllenbeck	
kabitt geben	Druck machen	*Lektion 49*
Karamellklöttken	Caramel-Stückchen/-Bonbons	*Lektion 51*
Käsemauken	Schweißfüße	*LEKTION 4*
Kawenzmann	jemand bzw. etwas Großes	*LEKTION 25, Lektion 26*
kiebich	schlecht gelaunt und kratzbürstig	*LEKTION 21*
Kinnerwartju	Posaune	*Lektion 51*
klamüsern	experimentieren, ausprobieren, planen, vorbereiten	*Lektion 49*
klaterich	siehe klöterig	*Lektion 45*
klöterich	siehe klaterig	*Lektion 45*

Klöttken	Stückchen, z.B. Würfelzucker .... *Lektionen 51, 53*
Knickebur	mit übertriebener finanzieller Sorgfalt wirtschaftender Agrarökonom (Bur=Bauer) ...... *Lektionen 19, 45*
Knickerbold	Pfennigfuchser .... *Lektion 42*
knick(e)rich	sparsam bis geizig, auch: klein .... *Lektionen 26, 29, 42*
Kniepekopp	Knauser .... *Lektionen 30, 42*
kniepich	geizig .... *LEKTION 42*
knötterich	missmutig, griesgrämig .... *Lektion 45*
Knötterichkeit	Übellaunigkeit .... *Lektionen 16, 42, 46*
Knötterpott	schlecht gelaunter Zeitgenosse ...*LEKTION 16, Lektion 17*
knuddeln	sich drücken, umarmen, auf neudeutsch: Petting .... *Lektion 50*
knülle	stark betrunken, bezecht..................... *LEKTION 44*
kodderich	sich unpässlich fühlend ... *LEKTION 45, Lektionen 5, 53*
Kopppiene	Kopfschmerzen, Migräne, Kater .... *Lektion 45*
Kotten	Hütte, Bauernbehausung .... *Lektion 54*
kröckelich	wackelig, altersbedingt schlecht auf den Beinen .... *Lektion 52*
Krösken	Techtelmechtel, Verhältnis .... *Lektion 50*
Kroppzeuch	etwas Unnützes, Wertloses und einem nur Umstände Machendes .... *Lektion 46*
Lauferei	Durchfall (med.: Diarrhö) .... *Lektion 45*
lernen	beibringen, Wissen vermitteln ....*Lektion 55*
massich	reichlich, eine Menge .... *LEKTION 50*
Mauken	Füße .... *LEKTION 4, Lektion 54*
Meckerpott	Nörgler.. *LEKTION 17*
Mettendken	geräucherte Schweinemett-Rohwürstchen .... *Lektionen 19, 45*
Micker-männken	kleiner, schmächtiger Mensch ...... *Lektionen 24, 25, 27*
mittenmal	mit einem Mal, plötzlich........................ *Lektion 49*
mittenmang	mitten hindurch, mittendrin .... *Lektion 49*
mittezeit	allmählich, inzwischen .... *Lektion 55*
Modder	Matsch, sumpfige Erde .... *LEKTION 33*
mollich	1. sehr warm, 2. dicklich .... *LEKTION 40, Lektion 12*
Motsche	Matsch .... *LEKTION 33, Lektion 20*

Muckefuck dünner Kaffee oder gar Kaffee-Ersatzgetränk .... *Lektion 6*

muffelich moderig riechend, schlecht gelaunt (aber es mehr in sich hineinfressend und weniger an anderen auslassend als bei knötterig) .... *Lektionen 4, 16*

nickelich schlecht gelaunt und hinterhältig .... *LEKTION 21*

nix um bei haben egal sein, sich nichts drauß machen .... *Lektion 25*

nöckelich grummelig, schlecht gelaunt, die beleidigte Leberwurst spielend .... *Lektion 21*

nöhlen knatschig sein, durch Vor-sich-hinmeckern seinen Unmut zum Ausdruck bringen .... *Lektion 6*

nönkern Mittagsschlaf halten .... *LEKTION 36*

nuarnganzpa lediglich einige wenige .... *Lektion 50*

Ömmes großer Gegenstand .... *Lektion 25*

össelich heruntergekommen, verschmutzt........... *LEKTION 37*

Össelkopp jemand Ungepflegtes, jemand, der keine Ordnung halten kann .... *Lektionen 37, 38*

Patt schmaler Weg .... *Lektionen 18, 23*

Pättken noch schmalerer Weg.......................... *Lektion 18*

Pättkenschnüwer altes Motorrad oder Moped .... *LEKTION 18*

picheln in schneller Frequenz Gläser mit alkoholischem Inhalt leeren .... *Lektionen 44, 45*

Pillepoppen (Pl.) Kaulquappen..................... *LEKTION 39, Lektion 30*

Pingeljachd Klingeljagd (»läuten und laufen«) .... *Lektion 20*

Pinöckel kleines Dingens .... *LEKTION 10, Lektion 9*

Pinörkel anderes Wort für Pinöckel .... *LEKTION 10*

Pium Borgholzhausen .... *Lektion 35*

pladdern regnen (Wolkenbruch) .... *Lektion 11*

pläddern regnen (Sturzregen) .... *LEKTION 11*

plaistern regnen (Regenguss) .... *Lektion 11*

plästern regnen (Dauerregen) .... *Lektionen 11, 33*

Pläte Nacktkultur auf höchster Ebene und zugleich das beste Mittel gegen Haarausfall: die Glatze ...... *Lektion 25*

Plempe abwertend beurteilte Flüssigkeit .... *Lektion 6*

Plörre reklamierbarer Trank .... *Lektion 6*

plümerant schwindelig, missbehaglich ... *Lektion 45*
Plünten Klamotten ... *Lektion 33*
Plür/Plürre zu dünnes Getränk ... *LEKTION 6*
pölen einen Ball schießen, Fußball spielen ... *Lektion 33*
Pölter Schlafanzug ... *LEKTION 3, Lektionen 7, 12, 31*
Pömpel Pfosten, Pfeiler, Saugglocke ... *LEKTION 8, Lektion 10.2*
Pöter Hintern ... *LEKTION 35, Lektion 27*
Pöterklatsche pädagogisch fragwürdige Sanktion überforderter Eltern ... *Lektionen 12, 24*
prokeln stochern (mehr oder weniger) ... *LEKTION 9, Lektion 10*
Proppen Korken, Stöpsel ... *Lektion 1*
proppe(n)voll sehr voll bis überfüllt ... *LEKTION 1*
Puckel Buckel, Rücken, Kreuz ... *Lektion 44*
Püfferken Teigfladen ... *LEKTION 53*
Pulle, Pülleken Flasche ... *Lektion 44*
Puselchen dickliches Dummchen bzw. dümmliches Dickerchen ... *Lektion 50*
Quasselpott Vielschwätzer ... *LEKTION 15, Lektionen 17, 30*
quatern unablässig und sinnfrei reden ... *Lektionen 30, 55*
quengeln unablässig und nervtötend rumnöhlen ... *Lektion 55*
Quirkendorp Brackwede ... *Lektionen 49, 53*
ramentern lärmen ... *Lektionen 34, 45*
rammdösich verrückt, dumm ... *LEKTION 34, Lektion 8*
ratzeputz alle vollständig leer, aufgegessen ... *Lektion 49*
Rüentiarger Posaune ... *LEKTION 51*
rumfriemeln noch planloser friemeln als beim Friemeln ... *Lektion 42*
rumklamüsern noch planloser klamüsern als beim Klamüsern ... *Lektion 49*
Sabbelkopp Zungendrescher ... *Lektion 30*
schallern hauen ... *Lektion 25*
schännen (aus-)schimpfen ... *LEKTION 38*
Schasskermoos Geld, das man mit dem festen Vorsatz einsteckt, es für Alkoholika auszugeben ... *Lektion 44*
schasskern (sich be-)trinken ... *LEKTION 44, Lektion 49*

schickern	die Kehle befeuchten	*Lektion 44*
Schlafbuxe	Schlafanzughose	*Lektionen 3, 31*
Schlappen	Pantoffeln	*Lektion 31*
Schlickersachen	Süßwaren	*Lektion 51*
Schlinderbahn	selbstgemachte Eisbahn	*LEKTION 29*
Schluffen	Puschen, aber auch: Pantoffelheld	*LEKTION 31, Lektionen 3, 4, 49*
schluffkern	langsam, aber geräuschvoll gehen	*Lektion 23*
Schlür, auf ~ sein	vergnügungssuchend unterwegs sein	*LEKTION 5*
schlüren	schlendern	*LEKTION 5*
Schlürpott	Schlendrian, Müßiggänger	*Lektion 5*
Schlürschluck	Abschiedstrunk, Absacker	*LEKTION 5*
Schmacht	Hunger	*LEKTION 43, Lektion 49*
Schmachtlappen	hageres wie mageres Persönchen	*Lektion 43*
Schmecklecker	Feinschmecker, auch: Lebemann	*Lektionen 43, 47*
schnieke	fein, elegant	*Lektion 2*
schucken	(be-)zahlen	*LEKTION 54*
Schuld, etwas in ~ sein	an etwas Schuld sein	*Lektion 43*
Schweißmauken	Schweißfüße	*Lektion 4*
schwummerich	schwindelig, benebelt, duselig	*Lektion 45*
Senge	Prügel	*Lektion 44*
seuche	solche	*LEKTION 26*
siffich	verdreckt, fleckig, schmierig	*Lektion 37*
sobutz	sofort, auf der Stelle, schnell	*Lektionen 21, 55*
sommertach	im Sommer	*Lektion 40*
sonne	so eine	*LEKTION 26*
Stert	Schwanz	*Lektion 49*
Stritz	Spritzer, Klecks, Schuss	*Lektion 52*
süppeln	trinken	*Lektion 44*
Tacken	Maßeinheit: ein Stückchen, ein bisschen	*Lektion 53*
tapern	gehen	*Lektionen 20, 30*
tenger(n)	schnell	*LEKTION 23*
Tödder, in ~ sein	durcheinander sein	*Lektion 52*

Töle	(Mischlings-)Hund	*LEKTION 22, Lektionen 24, 30*
tranklötich	langsam, trödelnd	*Lektionen 15, 55*
tüddelich	zerstreut, verwirrt	*LEKTION 52*
Tüddelkram	Kleinkram, auch: Unsinn	*Lektion 52*
tünerich	altersschwach	*Lektion 52*
unsachte	missbehaglich, kränklich	*Lektion 45*
usselich	heruntergekommen, verschmutzt	*Lektion 40*
vadorrich (nocheins)	verdammt (noch mal)	*Lektionen 15, 40, 49*
vergackeiern	verschaukeln, auf den Arm nehmen	*Lektion 25*
vermackeln	beschädigen, ankratzen, lädieren, ramponieren, vertrimmen	*Lektion 54*
vermuckt noch mal	verdammich noch eins!	*Lektion 52*
verösselt	leicht heruntergekommen	*Lektion 37*
vertellen	erzählen, erklären	*Lektion 49*
waam	warm	*LEKTION 40, Lektion 12*
Wämmsken	Jacke, Oberteil	*Lektionen 3, 31*
wahne	wahnsinnig	*LEKTION 34, Lektionen 4, 11, 23, 33*
wech	her	*LEKTION 7*
wegsüppeln	austrinken	*Lektion 44*
Wonneproppen	kleines, niedliches, evtl. auch wohlgenährtes Kind (kein Blag!)	*Lektion 52*
wullacken	hart arbeiten, ranklotzen	*Lektion 44*
Zisse(l)männken	(1) kleine, schmächtige Person, (2) kleine Feuerwerkskörper	*LEKTION 24, Lektion 27*
Zossen	Pferd, Gaul	*LEKTION 47*
Zuckerplörre	stark gesüßter Softdrink, Limonade	*Lektion 6*
zugange sein	beschäftigt sein, angefangen haben	*LEKTION 40*